# HUNGER GAMES :
# L'EMBRASEMENT

## Le Guide officiel illustré du film

Kate Egan

Texte français du
Groupe Syntagme Inc.

Éditions
SCHOLASTIC

# REMERCIEMENTS

Merci aux acteurs et à l'équipe de *Hunger Games : L'embrasement* qui ont généreusement partagé leurs expériences.

Merci à Francis Lawrence, Nina Jacobson et Jon Kilik qui ont donné aux amateurs du film un aperçu informatif et divertissant de ce qui s'est passé dans les coulisses.

Merci à Paula Kupfer, Edwina Cumberbatch et Amanda Maes pour toute leur aide. Et au reste de l'excellente équipe de Lionsgate : Tim Palen, Erik Feig, Julie Fontaine, Jennifer Peterson, Danielle DePalma, Douglas Lloyd, John Fu et Erika Schimik.

Merci à l'équipe talentueuse et dévouée de Scholastic : Ellie Berger, Rachel Coun, Rick DeMonico, David Levithan et Lindsay Walter. Emily Seife, je vous suis reconnaissante d'avoir posé toutes les bonnes questions et d'avoir fait en sorte que tout se passe bien.

Et merci à Suzanne Collins : comme toujours, c'était un grand plaisir de travailler avec vous.

—K.E.

Copyright © Éditions Scholastic, 2013, pour le texte français.
Tous droits réservés.

TM et copyright © Lions Gate Entertainment Inc., 2013
Tous droits réservés.

Photographie de la première de couverture par Tim Palen • Photos de plateau par Murray Close
La première mondiale de Hunger Games (pages 6-7, 8 en bas, 9 en haut et en bas) : Eric Charbonneau
Photo de Suzanne Collins (page 8 en haut à droite) : Alberto E. Rodriguez/Getty Images
Couvertures de *Entertainment Weekly* (page 10 en bas à gauche et à droite) : Entertainment Weekly®
utilisé avec la permission de Entertainment Weekly, Inc.
Tournée publicitaire de *Hunger Games* (page 11 en haut) : gracieuseté de Lions Gate
Robes de la collection La Glacon (page 124 en bas à gauche et à droite) : Ulet Ifansasti/Getty Images Entertainment
Yugoslav sculpture (Page 89 à gauche et à droite) : Jan Kempenaers @ Kask School of Arts, Ghent

Édition publiée par les Éditions Scholastic, 604, rue King Ouest, Toronto (Ontario) M5V 1E1

5 4 3 2 1   Imprimé au Canada   122   13 14 15 16 17

Titre original : *The Hunger Games : Catching Fire Official Illustrated Movie Companion*
ISBN 978-1-4431-3247-3

Première édition, novembre 2013
Conception graphique du livre : Rick DeMonico et Heather Barber

# TABLE DES MATIÈRES

# PARTIE 1

# HUNGER GAMES : LE MONDE S'EMBRASE

# LE MONDE ENTIER REGARDERA

Le 23 mars 2012, le monde entier regardait.

Aux quatre coins du pays, les cinémas affichaient complet. Des fans enthousiastes, billets en main, attendaient de gagner leur siège.

Aux douze coups de minuit, *Hunger Games*, le film le plus attendu de l'année, envahissait les écrans.

Tout comme le livre duquel il est adapté, le film a fait immédiatement sensation. Un véritable phénomène. Un tour de force. Les spectateurs se sont identifiés aux personnages, aux thèmes et à l'histoire de façon viscérale et intense.

Pendant plus d'un an, les amateurs ont été titillés par les nouvelles entourant le film. Après les annonces initiales concernant la distribution des rôles et la

> **« *Et puisse le sort vous être favorable!* »**
> **— *Hunger Games***

production, ils ont d'abord eu droit à un avant-goût du film, présenté aux MTV Video Music Awards en août. Il y a ensuite eu la diffusion de la bande-annonce complète, en novembre. En janvier, les admirateurs ont entendu à la radio la mélodie obsédante de « Safe & Sound » de Taylor Swift. Bientôt, le public verrait enfin à quoi ressemblait le film.

La veille de la première mondiale, le 12 mars, des inconditionnels du livre se sont réunis au quartier général des amateurs, appelé le Hub, dans le centre-ville de Los Angeles. Les 400 premiers arrivés recevraient un bracelet leur ouvrant la porte de cet événement qui fourmillait de vedettes. Pour ces passionnés de *Hunger Games*, c'était peu cher payé que de dormir à l'extérieur dans les rues de la ville pour avoir la chance de figurer parmi les premiers à voir le film sur grand écran.

Le lendemain, des foules se massaient près du cinéma, espérant entrevoir les vedettes. Les flashes de centaines d'appareils photo inondaient de lumière cette soirée un peu fraîche. Un million de spectateurs de

LES ACTEURS, JOSH HUTCHERSON ET JENNIFER LAWRENCE, POSENT DEVANT LES CAMÉRAS ET LES FANS LORS DE LA PREMIÈRE MONDIALE DU FILM *HUNGER GAMES* À LOS ANGELES, EN 2012.

plus ont suivi en direct la diffusion vidéo sur Internet. L'excitation s'est intensifiée lorsque les limousines ont commencé à arriver.

La clameur de la foule a retenti à la vue de Josh Hutcherson, qui a joué Peeta Mellark, et de Liam Hemsworth, qui a incarné Gale Hawthorne. La foule a accueilli les acteurs, encore inconnus à ce moment-là et qui jouaient le rôle des jeunes tributs, puis les grandes vedettes comme Woody Harrelson, Elizabeth Banks, Stanley Tucci et Donald Sutherland, et Suzanne Collins, l'auteure des romans à succès *Hunger Games*. Plusieurs vedettes se sont avancées dans la foule, signant des livres et des affiches, le sourire aux lèvres. En retour, les admirateurs ont manifesté leur enthousiasme en adressant aux acteurs le célèbre salut du district Douze.

Enfin, Jennifer Lawrence s'est avancée sur le tapis noir et a déclenché le délire de la foule! C'était comme si Katniss Everdeen marchait dans les rues du Capitole.

Suzanne Collins, auteure à succès de la série *Hunger Games*, lors de la première mondiale du film *Hunger Games*

La foule se rassemblant au Nokia Theatre pour la première du film, le 12 mars

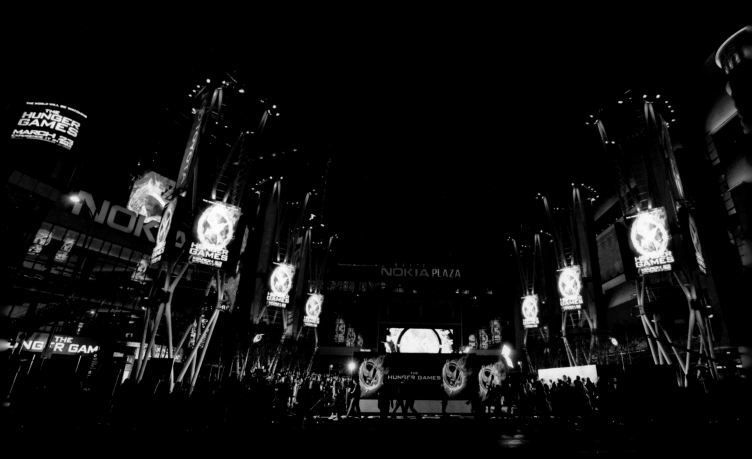

JENNIFER LAWRENCE PORTE UNE ROBE OR
DE PRABAL GURUNG ET PARADE SUR LE
TAPIS NOIR SOUS LES FEUX DE LA RAMPE
LORS DE LA PREMIÈRE MONDIALE DU FILM
*HUNGER GAMES.*

L'ACTEUR, LIAM HEMSWORTH,
SIGNE DES LIVRES POUR DES
FANS ENTHOUSIASTES.

# UN PHÉNOMÈNE

*Hunger Games* a connu un succès retentissant. Pendant quatre semaines, il a été le film le plus populaire du pays; les recettes ont atteint 408 millions de dollars aux États-Unis seulement. Il s'agissait de la plus grande sortie de tous les temps pour le mois de mars; le film s'est classé au troisième rang du plus gros succès du box-office pour 2012 et au treizième rang de tous les films de l'histoire du cinéma.

Tout comme le public, les critiques ont adoré le film. *Entertainment Weekly* l'a qualifié « d'adaptation musclée, honorable et franche de la vision de Suzanne Collins » et, dans *Rolling Stone*, on a pu lire : « Je vous conseille de garder les yeux sur Jennifer Lawrence. Elle fait du film une victoire en présentant une héroïne qui se nourrit de ses principes. »

Le film a fait la une d'une multitude de magazines et était partout sur le Web. La tournée publicitaire des vedettes, dans les centres commerciaux partout en Amérique, a attiré plus de 8 000 admirateurs à chaque arrêt. Les ventes de marchandises de *Hunger Games*, broches représentant le geai moqueur ou répliques de l'arc de Katniss, ont battu tous les records. La trame sonore du film, mettant en vedette des artistes comme Arcade Fire et Maroon 5, a été propulsée au numéro un du palmarès et a obtenu deux nominations aux Grammy Awards. Les ventes des livres originaux ont fracassé les records.

Erik Feig, président du Motion Picture Group de Lionsgate, affirme que le public se reconnaît dans le film parce qu'il s'identifie fortement au personnage de

En haut : L'affiche officielle du premier film *Hunger Games*
En bas : Les images et les acteurs de *Hunger Games* ont fait la une des magazines dans les mois précédant le film.
Page de droite : Broche représentant le geai moqueur

Katniss. « Le premier film était bien parvenu à rentrer dans la tête de Katniss, explique-t-il. Tout comme les lecteurs voient le monde de son point de vue dans les romans, à chaque étape du film, les spectateurs se mettent à la place de Katniss. *Hunger Games* donne l'impression d'être réel parce que les émotions sont réelles. »

Au-delà des classements et des palmarès, *Hunger Games* a transcendé les frontières. C'est un film qui touche les gens. Un film qui est devenu un phénomène culturel. Tout le monde en parle, les ados et leurs parents, et même leurs grands-parents.

Ce qui ne devait être qu'une série pour jeunes adultes fait désormais l'objet de discours et de sermons, de lecture obligatoire dans des cercles de lecture et des cours d'anglais. Soudainement, le tir à l'arc est devenu un sport populaire, les gymnases offrent des cours d'aérobie inspirés de l'entraînement des tributs, et Katniss et Rue sont des noms que l'on donne aux bébés.

D'une certaine façon, le film est une aventure qui vous tient en haleine, dans laquelle Katniss se bat pour être le tribut qui reste en vie. Mais *Hunger Games* s'adresse au public d'une autre façon; le film remet en question la façon dont notre culture exploite ses vedettes et ses héros. Il pose un regard lucide sur notre intérêt pour la violence et met le public au défi de trouver les limites de cet intérêt. Il offre l'image d'une fille indifférente à la culture du Capitole, mais le Capitole la met en lumière et elle ose le défier.

Grâce à ses personnages inoubliables et à ses questions percutantes, *Hunger Games* a trouvé écho, et continuera de le faire, bien au-delà des publics d'adolescents; il est devenu un classique instantané partout sur la planète.

*Hunger Games* n'était cependant que le début. Dans le prochain film de la série, *Hunger Games : L'embrasement,* les enjeux seront encore plus grands.

**VICTORY TOUR**

WITH KATNISS EVERDEEN AND PEETA MELLARK
WINNERS OF THE 74TH HUNGER GAMES

En préparation pour
LE FILM *HUNGER GAMES* :
L'EMBRASEMENT, LIONSGATE
STUDIO A CRÉÉ DES AFFICHES
DE LA TOURNÉE DE LA VICTOIRE.

FB.COM/THECAPITOLPN  IMAX  LIONSGATE

# L'HISTOIRE CONTINUE

*Hunger Games* s'embrasait avec l'histoire d'une fille extraordinaire affrontant un régime cruel et ses terribles jeux de la faim. Les spectateurs ont été captivés par la loyauté à toute épreuve de Katniss à l'égard de sa famille, son courage et son ingéniosité dans les Jeux, et finalement, son refus de respecter les règles établies.

Dans le film suivant, *Hunger Games : L'embrasement*, on rencontre Katniss plusieurs mois plus tard, après que son seul acte de rébellion a déclenché une tempête qui la dépasse. L'auteure Suzanne Collins décrit l'état d'esprit de Katniss au début du film : « Katniss est maintenant un vétéran de l'arène, elle est en état de stress post-traumatique et essaie de faire face aux blessures psychologiques qu'elle a subies dans les premiers Jeux. La terreur d'être pourchassée et le fait d'avoir ôté la vie à d'autres tributs la hantent. Il lui est impossible de prendre du recul par rapport à l'expérience parce que, dès le début, on la force à entreprendre la Tournée de la victoire, un district à la fois, et à faire semblant d'honorer les Jeux alors qu'elle doit faire face aux familles des enfants morts aux Jeux. Toutes ces expériences l'amèneront à choisir de quelle façon et à quel moment elle traitera avec le Capitole et, en particulier, avec le président Snow. »

Le film débute par une visite-surprise dans la nouvelle maison de Katniss au Village des vainqueurs. Coriolanus Snow, le président de Panem en personne, vient livrer à Katniss un message terrifiant. Il ne croit aucunement l'histoire des amants maudits qu'elle a mise en scène dans l'arène avec Peeta Mellark, mais il lui laisse entendre que sa vie et son avenir dépendront de sa capacité de convaincre tout le monde que cet amour est authentique. C'est la seule façon d'expliquer pourquoi les Juges du Capitole ont modifié leurs règles pour Katniss — et le seul moyen de freiner la vague révolutionnaire qu'a fait naître son geste de défi.

Tandis que les mots de Snow résonnent encore dans sa tête, Katniss sillonne le pays avec Peeta pour la Tournée de la victoire qui fait suite aux Jeux. Elle tente du mieux qu'elle peut de convaincre les gens de Panem qu'elle est simplement amoureuse et que ses projets de mariage avec Peeta occupent toutes ses pensées. Mais l'agitation s'empare de Panem. Et même si les foules croient Katniss, le président Snow n'est pas dupe. De retour de la tournée, Katniss découvre que son district compte de nouveaux Pacificateurs brutaux et que de cruelles punitions attendent ceux qui leur désobéissent. Comme elle.

Puis, pour le 75e anniversaire de la rébellion, selon les lois du pays, il faut organiser une édition spéciale des *Hunger Games*. Il s'agit des Jeux de l'Expiation, qui ont lieu tous les 25 ans : une série de Jeux où les règles sont différentes. Cette année, pour la troisième Expiation, le président Snow décrète que les tributs seront sélectionnés à partir du lot de vainqueurs des anciens jeux; un homme et une femme de chaque district.

Comme elle est la seule femme encore vivante à avoir gagné les jeux pour le district Douze, Katniss doit retourner dans l'arène. Les cauchemars qui

MME EVERDEEN (PAULA MALCOMSON) ET PRIMROSE EVERDEEN (WILLOW SHIELDS)

peuplent son sommeil depuis qu'elle est revenue des Hunger Games deviennent réalité. Le président veut s'assurer qu'elle ne reviendra jamais, et Katniss le sait. Mais peut-être qu'elle peut sauver Peeta, et une fois pour toutes lui rembourser tout ce qu'elle estime lui devoir.

Ils retournent donc au Capitole en grande pompe. Ils rencontrent les autres tributs et commencent à s'entraîner. Les tributs, tous des vainqueurs, sont différents de ceux de la dernière fois, endurcis et amers, même s'ils sont les « gagnants » du Capitole. Le seul but de Katniss est de trouver la personne qui pourrait

> **« Dans *Hunger Games* : *L'embrasement*, l'histoire évolue, passant d'un jeu de gladiateurs à une rébellion. »**
> **— Suzanne Collins**

l'aider à garder Peeta en vie.

Elle croit former des alliances, mais elle s'aperçoit lentement qu'une autre alliance s'est forgée parmi les vainqueurs, et qu'elle en est exclue. Ce n'est qu'à la fin des Jeux de l'Expiation qu'elle découvre la douloureuse vérité sur le but de cette alliance.

« Dans *Hunger Games* : *L'embrasement*, l'histoire évolue, passant d'un jeu de gladiateurs à une rébellion, explique Suzanne Collins. Les Hunger Games, qui ont toujours été un symbole du pouvoir du Capitole sur les districts, deviennent maintenant le foyer de la dissidence politique. Comme les Jeux sont télévisés, ils deviennent une rare occasion pour les rebelles de communiquer avec les habitants de tous les districts. Les enjeux ne sont pas simplement personnels, ils sont nationaux. Le résultat changera le cours de l'histoire de Panem. »

Dans une certaine mesure, Katniss doit trouver sa place dans ce moment très chargé sur le plan politique. Selon le réalisateur, Francis Lawrence, qui n'a aucun lien de parenté avec l'actrice qui joue Katniss, « Katniss ne veut pas être une héroïne. On peut vraiment s'identifier

PEETA MELLARK (JOSH HUTCHERSON), EFFIE TRINKET (ELIZABETH BANKS), ET KATNISS EVERDEEN (JENNIFER LAWRENCE) PENDANT LA MOISSON DU DISTRICT DOUZE LORS DES JEUX DE L'EXPIATION

à ses besoins et désirs personnels : se protéger et protéger ceux qu'elle aime. Maintenant, on lui en demande plus et elle ne veut pas en faire partie. Elle ne veut pas être responsable de tous ces gens-là. Elle ne veut pas devenir un modèle. Elle a déjà assez de soucis comme ça. C'est l'une des facettes les plus crédibles de sa personnalité. Mais en fin de compte, elle va devoir faire des choix difficiles ».

La productrice Nina Jacobson explique : « Katniss a ouvert les yeux, mais elle n'est pas encore prête à jouer le rôle de meneuse. Elle se pose encore des questions. Pourquoi a-t-elle sauvé Peeta? Était-ce pour remporter les Jeux? Pour se sauver elle-même? Pour agir de façon éthique? Ou l'aime-t-elle vraiment? Katniss doit commencer à répondre à ces questions lorsqu'elle constate que les gens des districts lui font confiance et qu'ils se tournent vers elle pour qu'elle les guide. Elle ne se voit pas encore comme une meneuse, mais elle commence peu à peu à adopter ce rôle. »

Comme Katniss dans l'arène, le film *Hunger Games* a dépassé les rêves les plus fous de tout un chacun. Le succès retentissant du film a donné à Lionsgate, le studio qui a produit le film, la capacité de rassembler une autre excellente équipe pour porter à l'écran la deuxième partie de l'histoire épique de Suzanne Collins.

> « *L'embrasement* est la suite de l'histoire commencée dans *Hunger Games*, mais présente une vision plus large du monde. En même temps, comme nous connaissons et aimons déjà les personnages, cela permet d'aller encore plus loin dans leur monde émotif. »
> — Francis Lawrence

PARTIE 2

# ALLER DE L'AVANT

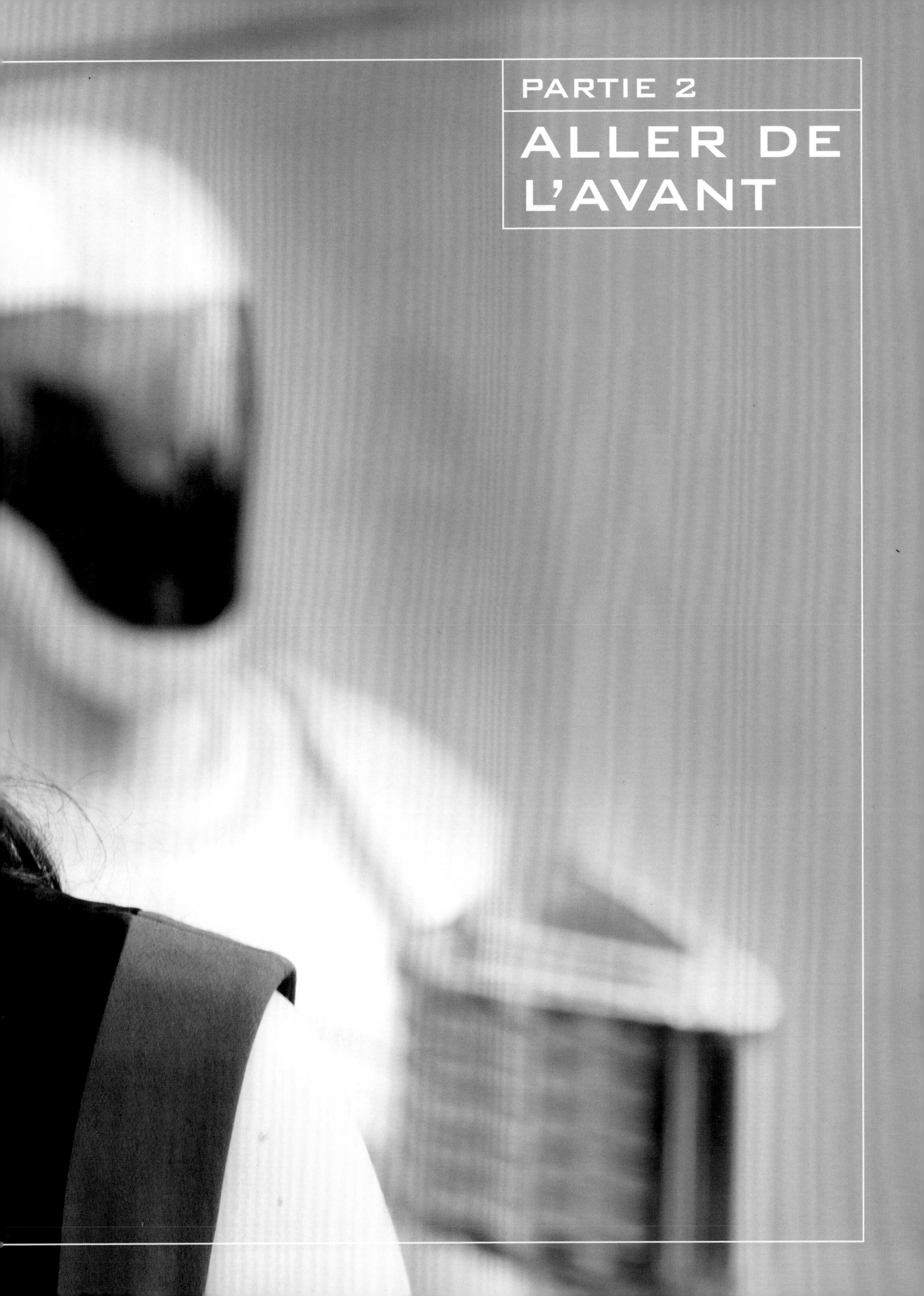

# LA PREMIÈRE ÉTAPE

Les créateurs du film étaient emballés par les nouvelles possibilités qui s'ouvraient à eux tandis qu'ils se préparaient à produire la suite de *Hunger Games*. Ayant à son actif un film à succès, la productrice Nina Jacobson savait que le public attendait avec impatience *Hunger Games : L'embrasement*. Les spectateurs nourrissaient de grands espoirs et les attentes étaient énormes à l'égard du nouveau film. Il incombait à son équipe d'offrir aux admirateurs quelque chose qu'ils aimeraient tout autant que le premier.

« Ce que nous souhaitions, autant pour nous que pour les admirateurs, c'était viser encore tout aussi haut et être tout aussi ambitieux pour la création des deuxième et troisième films, déclare Nina Jacobson.

> « Le bon réalisateur était quelqu'un possédant suffisamment de finesse pour raconter l'histoire de Katniss et dépeindre avec émotion le traumatisme psychologique dont elle avait souffert tout en étant un styliste visuel doué. »
> — Erik Feig

Nous allions prendre des risques sur le plan créatif et continuer de faire honneur aux livres, tout comme nous l'avions fait pour le premier. »

Heureusement, Lionsgate a trouvé exactement le réalisateur qu'il fallait pour le deuxième film, quelqu'un qui était prêt à entreprendre ce travail colossal. Erik Feig, de Lionsgate, se rappelle exactement ce qu'il cherchait : « Le bon réalisateur était quelqu'un possédant suffisamment de finesse pour raconter l'histoire de Katniss et dépeindre avec émotion le traumatisme psychologique dont elle avait souffert tout en étant un styliste visuel doué capable de rendre justice à la plus grande portée du monde de *Hunger Games : L'embrasement* et à sa démesure. »

LE RÉALISATEUR, FRANCIS LAWRENCE, SUR LE PLATEAU

C'est ainsi que Francis Lawrence est entré en scène. Francis Lawrence est connu pour la netteté de son style visuel et son imagination fertile. Il a commencé sa carrière comme réalisateur à succès de vidéoclips et de publicités, puis il s'est orienté vers les longs métrages. Il a réalisé la superproduction *Je suis une légende*, mettant en vedette Will Smith, ainsi que *De l'eau pour les éléphants*, autre film inspiré d'un livre à succès. Francis Lawrence a acquis une riche expérience dans la création de mondes futuristes. Il est aussi doué pour produire des scènes d'action palpitantes que des histoires d'amour enflammées sur toile de fond improbable… et c'est à partir de ses expériences antérieures qu'il a monté ce nouveau projet.

Francis Lawrence ne s'est pas fait prier pour accepter de réaliser le deuxième film de la série. « Ce qui rendait la suite de *Hunger Games* intéressante, c'était toutes les possibilités qui s'ouvrent dans l'histoire. J'adorais l'idée de façonner des personnages, de les laisser s'épanouir et de créer de nouvelles scènes où ils joueraient des séquences encore plus exigeantes que dans le premier film », dit-il.

Il avait hâte d'entrer dans le monde du premier film *Hunger Games* et de le développer. Le nouveau film montrerait davantage Panem parce que Katniss et Peeta visitent les districts à l'occasion de la Tournée de la victoire, en plus de montrer d'autres facettes du Capitole. En outre, il y avait une toute nouvelle arène à créer. Francis Lawrence était enthousiaste et inspiré par toutes ces possibilités.

Dans le premier film, les tributs cherchent à s'entretuer, et l'action principale dans l'arène se résume à

leurs combats corps à corps. Cependant, dans le deuxième film, les Jeux sont différents. Les tributs sont d'anciens vainqueurs désillusionnés et révoltés d'être renvoyés

> **« Je voulais représenter le livre, pas le réinventer. »**
> **— Francis Lawrence**

dans l'arène. Par conséquent, la violence ne découle pas tant des tributs attaquant d'autres tributs que de l'arène attaquant tous les tributs.

Francis Lawrence a vu les obstacles de l'arène comme un double défi pour lui à titre de cinéaste : celui de créer des séquences d'action à couper le souffle tout en

suscitant toute une gamme d'émotions chez le spectateur. « Je trouve que ce qui est formidable avec chaque décor ou chaque scène d'action, ce sont leurs différences du point de vue émotionnel, explique-t-il. Selon moi, par exemple, la scène du brouillard est une séquence de sacrifice et de perte, tandis que celle de l'attaque des singes est empreinte de peur, et ainsi de suite. »

Francis Lawrence a travaillé avec l'auteure Suzanne Collins, ainsi qu'avec les scénaristes Simon Beaufoy et Michael DeBruyn, pour rédiger un scénario fidèle au roman original tout en maximisant son potentiel dramatique. « Je voulais représenter le livre, pas le réinventer, souligne Lawrence. Le résultat a été un groupe de gens très proches qui ont collaboré pour raconter cette histoire au moyen d'un film. »

## RASSEMBLER LA DISTRIBUTION

Dans *Hunger Games : L'embrasement*, de nouvelles figures se sont jointes au groupe principal d'acteurs de talent comprenant Jennifer Lawrence, lauréate d'un Oscar, Josh Hutcherson, Liam Hemsworth, Woody Harrelson, Elizabeth Banks, Lenny Kravitz et Donald Sutherland. Les plus grands rôles à combler étaient ceux de Plutarch Heavensbee, nouveau Haut Juge, et ceux des deux vainqueurs que Katniss finira par connaître le mieux :

> « Finnick est très sûr de lui et charmant. Il a un visage familier [...] Mais il est incapable d'exprimer ses émotions, parce qu'il sent que tous les regards sont toujours tournés vers lui. Il n'est pas celui qu'il semble être. »
> — Sam Claflin

# LA DISTRIBUTION DES RÔLES AUTOUR DU MONDE

Le processus de distribution des rôles peut s'étendre sur plusieurs continents. Erik Feig décrit les premières étapes de la recherche d'un acteur pour incarner Finnick : « Les directeurs de la distribution du monde entier affichent sur un site Web réservé aux cinéastes des auditions de leurs acteurs lisant leur texte. Nous avons vu toutes sortes d'acteurs américains, britanniques, australiens… » Lorsqu'ils ont trouvé Sam Claflin, tout a cliqué. Erik Feig ajoute : « La première fois que nous avons vu l'audition de Sam sur le site, le volume était baissé, mais même sans le son, il crevait l'écran. Il donnait une présence particulière à Finnick, tout en ayant cette vulnérabilité qui nous fait comprendre Finnick et l'aimer. Quand nous avons augmenté le volume et avons entendu sa façon de s'exprimer et l'intelligence qui en ressortait, nous avons été sûrs à cent pour cent que nous voulions cet acteur ».

Finnick Odair et Johanna Mason. « Il y a de l'action dans ce film, mais comme il est fondé sur les personnages, il fallait trouver d'excellents acteurs capables de donner plusieurs dimensions à leur rôle, mentionne le producteur Jon Kilik. »

Le premier acteur qui a été choisi pour incarner Beetee était Jeffrey Wright, avec lequel le producteur avait déjà travaillé à quatre reprises. « C'est un acteur qui peut se fondre dans presque n'importe quel rôle, déclare Jon Kilik. Il est polyvalent et extrêmement talentueux. Il devait jouer le rôle de quelqu'un à la fois intelligent et méthodique et un peu dangereux. Nous étions convaincus que Jeffrey en était capable. » Parmi les films de Wright, mentionnons *Casino Royale*, *Basquiat*, *Fleurs brisées* et *W*. Dans *Hunger Games : L'embrasement*, il joue un vainqueur ayant des habiletés techniques sophistiquées, qui reconnaît rapidement le pouvoir de Katniss.

Pour Finnick, Francis Lawrence et les producteurs cherchaient un acteur ayant le juste équilibre entre l'arrogance et la sensibilité. L'acteur britannique Sam Claflin, mieux connu pour son rôle de William dans *Blanche-Neige et le Chasseur*, était parfait pour le rôle. Sam Claflin explique : « Finnick est très sûr de lui et charmant. Il a un visage familier. Tous les hommes voudraient être lui, et toutes les femmes voudraient être avec lui. Mais il est incapable d'exprimer ses émotions parce qu'il sent que tous les regards sont toujours tournés vers lui. Il n'est pas celui qu'il semble être. »

Au moment de son audition et tout au long du tournage, Sam Claflin a réussi à incarner les deux côtés de ce personnage complexe. Il avait même hâte de jouer la scène un peu osée du morceau de sucre, scène où il rencontre Katniss pour la première fois. « Je ne pense pas qu'elle ait déjà rencontré quelqu'un comme lui, explique Jennifer Lawrence. Finnick cache

JEFFREY WRIGHT JOUE LE RÔLE DE VICTOR BEETEE, UN TRIBUT ORIGINAL MAIS BRILLANT DU DISTRICT TROIS.

PEETA (JOSH HUTCHERSON), KATNISS (JENNIFER LAWRENCE) ET HAYMITCH (WOODY HARRELSON) RÉALISENT CE QUE REPRÉSENTE LA TOURNÉE DE LA VICTOIRE.

LE TRÈS CHARMANT
FINNICK ODAIR
(SAM CLAFLIN)
S'APPROCHANT DE
KATNISS (JENNIFER
LAWRENCE)
AU CENTRE
D'ENTRAÎNEMENT

sa vraie nature, et Katniss met un certain temps à voir ce qu'il dissimule. »

Dans les films suivants, le rôle de Finnick évoluera, et l'équipe juge que Sam Claflin est prêt à relever ce défi. « Dans la série, Finnick est trois personnages à la fois,

affirme Erik Feig de Lionsgate. La première impression de Katniss est qu'il est le paon du Capitole et c'est ce que l'on voit dans sa première scène. Dans l'arène, il devient un autre Finnick, un allié et un ami. Et bien sûr, dans *Hunger Games : La révolte*, son rôle changera encore. Il fallait donc

# PRENDRE SON ENVOL

**O**n avait donné à Bruno Gunn le rôle de Brutus, un des carrières du district Deux. « J'étais en route vers Rome pour visiter de la famille, mais j'avais une escale à Toronto, se souvient-il. J'avais un peu moins d'une heure pour attraper mon vol, et je me hâtais vers la porte d'embarquement, lorsque mon téléphone a sonné. C'était ma gérante, et elle a dit "Tu es Brutus." Et j'ai dit "Tu blagues, n'est-ce pas? C'est vraiment vrai?" Je montais ensuite dans l'avion pour un vol de neuf heures et je ne pouvais même pas faire un appel. Naturellement, il y avait un choix de six films dans l'avion, et tout le monde regardait *Hunger Games*! »

LA VAINQUEURE
DU DISTRICT
SEPT, JOHANNA
MASON, JOUÉE
PAR JENA MALONE,
PERFECTIONNE SON
MANIEMENT DES
ARMES AU CENTRE
D'ENTRAÎNEMENT.

de Finnick Odair et de Johanna Mason, une ancienne vainqueure extrêmement irritable. « Quand le moment est venu de trouver notre Johanna, se rappelle Nina Jacobson, nous n'avons vraiment pas eu d'autre choix que de donner le rôle à Jena Malone. Son audition était si intense, brute

> « Son audition était si intense, brute et dangereuse; elle était tout simplement parfaite. »
> — Nina Jacobson

et dangereuse; elle était tout simplement parfaite. » Enfant, Jena Malone était déjà actrice et elle a progressé vers des rôles toujours plus exigeants, notamment un rôle dans *Doubt* à Broadway. « Elle a joué une scène du livre, dit Nina Jacobson, où elle se porte volontaire pour aller dans la forêt, même si Finnick et Katniss ont été traumatisés par les geais bavards qui s'y trouvent. Et, en gros, elle dit : "Je ne suis pas comme vous. Je n'ai plus personne à aimer." Elle l'a dit d'une telle façon… on a eu l'impression qu'elle ne s'apitoyait pas sur son sort. C'était une déclaration brutale de sa solitude; elle affirmait ainsi qu'elle était seule au monde. N'avoir personne à perdre la rendait courageuse. »

un acteur complexe et sophistiqué, quelqu'un qui peut compenser son côté arrogant et impudent avec un côté sympathique, quelqu'un qui peut montrer ce que sa vie lui a coûté. »

Katniss ne le sait pas encore, mais son avenir dépend

# LA RÉBELLION PAR LA MODE

En tant que styliste de Katniss, Cinna, Lenny Kravitz joue un rôle crucial dans *Hunger Games : L'embrasement*. Lenny Kravitz dit de son personnage : « Il montre son côté rebelle, mais plutôt que de le crier haut et fort, il s'en sert dans son travail, dans ses créations. Le président Snow veut que Katniss se marie, donc Cinna dessine une robe extravagante. Mais ensuite la robe devient quelque chose de complètement différent : un geai moqueur, symbole de la rébellion. Personne ne s'attend à cela de Cinna, mais il a assurément son mot à dire. » Au Capitole, Cinna est le seul à qui Katniss croit pouvoir faire confiance, et le lien entre les deux personnages évolue et s'approfondit dans *Hunger Games : L'embrasement*. La loyauté de Cinna donne à Katniss du courage et, bien sûr, un style inoubliable.

Jena Malone avait entendu parler des livres *Hunger Games* par sa jeune sœur, lectrice passionnée. « J'ai vu son visage tout entier se métamorphoser lorsqu'elle m'a parlé des livres, explique-t-elle. Et j'ai pensé, wow, ça doit être quelque chose d'assez intéressant. » Comme bon nombre des nouveaux membres de la distribution, elle s'est tout de suite identifiée à la série et est ravie de faire partie d'un film qui touche un si grand public.

Pour Plutarch, l'équipe rêvait de donner le rôle à Philip Seymour Hoffman. « Nous voulions que Plutarch soit intrigant et brillant avec une autorité naturelle et nous savions que Hoffman pouvait faire tout ça », dit Erik Feig. Les producteurs et Francis Lawrence sont allés le voir à Broadway dans la pièce *Mort d'un commis voyageur*, et ce qu'ils ont vu les a convaincus que c'était leur homme. Ils ont attendu patiemment en croisant les doigts qu'il trouve le temps de lire le scénario et décide s'il voulait prendre part à l'aventure. Sa réponse positive a déclenché une explosion de joie. Philip Seymour Hoffman est surtout connu pour sa performance dans *Capote*, qui lui a valu un Oscar. Il a aussi joué dans des films comme *Le Stratège* et *Le Maître*.

Le coproducteur Bryan Unkeless déclare : « Philip Seymour Hoffman étoffe le rôle de Plutarch.

LE HAUT JUGE, PLUTARCH HEAVENSBEE
(PHILIP SEYMOUR HOFFMAN)

Il est intelligent et a de l'expérience et une grande profondeur d'esprit. Avec la personnification qu'il en fait, on comprend pourquoi le président Snow voudrait travailler avec lui. On voit pourquoi Snow le respecte et le comprend et va même jusqu'à suivre ses conseils, ajoute-t-il. Plutarch possède aussi une compréhension unique de la façon dont les divertissements peuvent servir à manipuler les masses. C'est un maître de la propagande. »

Le réalisateur Francis Lawrence a travaillé en étroite collaboration avec Hoffman pour fignoler sa relation avec le président Snow. Bon nombre des scènes que se partagent les deux personnages ne sont pas tirées du livre, mais ont été créées par les acteurs et le réalisateur. « Nous avons inventé de toutes pièces plusieurs de ses moments clés, souligne Francis Lawrence. Au début, personne ne comprend vraiment pourquoi Plutarch Heavensbee, un juge à la retraite, se porterait volontaire pour prendre la relève des Jeux de l'Expiation à la place de Snow. On

« Philip Seymour Hoffman étoffe le rôle de Plutarch. Il est intelligent, et a de l'expérience et une grande profondeur d'esprit. »
— Bryan Unkeless

finit par apprendre qu'il essaie de trouver une façon de se débarrasser de Katniss de la façon la plus intelligente possible. Puis, vers la fin du film, on découvre une autre facette des plans de Plutarch. »

Avant même de connaître les *Hunger Games*, Lynn Cohen entendait dire qu'elle aurait sa place dans le film. Cohen se rappelle : « Il y a des mois, un ami m'a appelée et m'a dit "Tu sais, tu devrais jouer Mags." Après avoir raccroché, j'ai téléphoné à mon agent et je lui ai mentionné "il y a un personnage qui s'appelle Mags et quelqu'un m'a dit que je serais parfaite pour le rôle." Alors il a répondu quelque chose comme "Eh bien, d'accord. Je m'en occupe…" Environ deux mois plus tard, j'étais en Toscane, et ma petite-fille, qui était en train de lire le troisième livre de *Hunger Games*, m'a dit "Hé, grand-maman! Tu devrais jouer Mags." Je fais ce métier depuis 50 ans; je pensais que j'étais rendue à un point où je n'aurais plus à porter de combinaison noir et argent. Mais pourquoi pas? »

Les nouveaux acteurs étaient tous ravis de se joindre à la distribution, sachant qu'ils travailleraient avec la crème des équipes sur un film qui toucherait des spectateurs du monde entier.

# LE RÔLE DE MENTOR

Le personnage de Woody Harrelson, le mentor Haymitch Abernathy, est imprévisible et indomptable. Il réussit à s'entendre avec Peeta, mais Katniss et lui ont une relation conflictuelle. En coulisse, cependant, il fait tout ce qu'il peut pour l'aider. Woody Harrelson raconte : « On ne le voit peut-être pas à l'écran, mais Haymitch sait qu'il s'agit d'un moment de la plus haute importance pour Katniss, qu'elle est le symbole de la rébellion à venir. Il est toujours de son côté, même s'il ne veut pas que cela se sache. »

## LA PRÉPARATION

Nouveaux venus ou non dans la distribution, les acteurs ont suivi un entraînement de base pour se préparer au film, particulièrement les tributs. Pour eux, il s'agissait de se mettre suffisamment en forme pour pouvoir jouer les scènes d'action sans s'épuiser physiquement.

Le coordonnateur de cascades, Chad Stahelski, a rencontré le réalisateur Francis Lawrence pour discuter des armes qui seraient disponibles dans la Corne d'abondance. Il pourrait ensuite déterminer les habiletés sur lesquelles il insisterait dans le cadre de l'entraînement.

Alan Ritchson qui joue Gloss raconte : « Nous sommes allés au gym avec les cascadeurs. Ils m'ont enseigné le lancer des couteaux et les arts martiaux et toutes sortes de roulades et de culbutes. Je n'avais jamais rien fait d'aussi difficile. J'étais complètement vidé, complètement exténué, mais c'était formidable. » Sam Claflin ajoute : « J'ai appris un nouveau truc chaque jour, j'ai essayé différents sauts et plein d'autres choses. C'est le rêve de tous les petits garçons. J'adore les cascades et je n'ai pas peur de me salir. C'est pour moi le projet le plus exigeant physiquement à ce jour, et de loin. »

déjà une base solide. Chad Stahelski se rappelle : « Nous avons perfectionné l'entraînement à l'arc de Katniss. Nous avons passé beaucoup de temps avec elle au gymnase; nous avons fait du tir à l'arc, du conditionnement physique et du combat au corps à corps. » Jennifer Lawrence ajoute : « J'adore faire les cascades dans ce film. Les mois supplémentaires d'entraînement ont vraiment valu la peine puisque j'ai pu en faire certaines moi-même. »

Toutefois, la dimension émotionnelle qui gouverne les personnages dans le deuxième film est différente et a influencé l'entraînement. « Les antécédents de chacun

> « J'adore faire les cascades dans ce film. Les mois supplémentaires d'entraînement ont vraiment valu la peine puisque j'ai pu en faire certaines moi-même. »
> — Jennifer Lawrence

des personnages sont un peu plus sombres et plus graves, explique Chad Stahelski. Katniss, Peeta et les autres tributs ont une expérience passée; ils savent ce que l'on attend d'eux, alors on peut pousser l'action un peu plus loin. »

En quelques semaines, les nouveaux acteurs qui, au début, savaient à peine comment tenir leurs armes, ont appris à les lancer avec assurance. Stephanie Leigh Schlund, qui joue Cashmere, une vainqueure du district Un, dit qu'elle peut maintenant manipuler des couteaux avec nonchalance comme si elle avait fait ça toute sa vie, comme une vraie Carrière. Jena Malone ajoute : « Chad est très doué pour faire ressortir les forces de chacun. Il m'a vu essayer faire un mouvement et a dit "Oh, refais ça." Il trouve nos points forts et nous permet d'exceller. »

De leur côté, les acteurs du premier film avaient

VICTOR BRUTUS DU DISTRICT DEUX, JOUÉ PAR BRUNO GUNN, SE PRÉPARE À JETER UNE LANCE DANS LE CENTRE D'ENTRAÎNEMENT.

# DÉFINIR DE NOUVEAUX PERSONNAGES

Tout en travaillant l'aspect physique de leur personnage, les nouveaux acteurs se sont aussi laissé profondément imprégner par l'identité qu'ils adopteraient dans le film.

Comme les autres recrues, Jena Malone a dû s'imaginer ce qu'avait vécu son personnage, Johanna Mason, avant d'arriver au Capitole pour les Jeux de l'Expiation. Elle explique : « Ce n'est pas facile de se remettre de sa participation aux Hunger Games et ensuite de composer avec la pression que le Capitole met sur un vainqueur pour qu'il devienne une marionnette. On devient une sorte de pion « capitolistique » et on doit se rendre aux autres Jeux et entraîner d'autres tributs. Comme Johanna est quelque peu imprévisible, le Capitole n'a pas réussi à la manipuler autant que les autres vainqueurs. »

Elle souligne que Johanna est très différente de Katniss. « Johanna est assez dégoûtée que Katniss permette au Capitole de mettre en scène les amants maudits, le mariage, l'enfant; Johanna ne ferait jamais ce genre de choses. Mais en même temps, elle respecte Katniss parce qu'elle est brillante. Et parce qu'elle mène la rébellion, qu'elle le veuille ou non. »

Bruno Gunn, qui joue Brutus, s'est beaucoup inspiré de Cato, dernier tribut de son district à mourir. Bruno savait qu'en tant qu'ancien vainqueur, Brutus aurait même pu être le mentor de Cato et le conseiller sur la façon de survivre aux Jeux. « Ce que je veux dire,

JOHANNA MASON
(JENA MALONE)

dit Gunn, c'est que Cato était le dernier survivant avec Katniss et Peeta. Brutus l'avait entraîné, c'est certain! L'idée que Brutus ait pris Cato sous son aile me plaît. »

Le personnage de Meta Golding, Enobaria, a remporté ses Hunger Games en égorgeant un autre tribut avec ses dents. Ensuite, elle s'est aiguisé les dents jusqu'à avoir des crocs acérés pour que personne n'oublie son exploit. « Tout comme Katniss symbolise l'amour, dit Golding, Enobaria symbolise la violence. »

Mais même Enobaria appréhende le retour aux Jeux. « Comment voit-on une participation aux Jeux de l'Expiation? demande Meta Golding. C'est terrible, humiliant. Je veux dire, je pensais que je n'avais qu'à retourner chez moi et devenir mentor… ce qui est déjà plutôt horrible en soi. Je veux aider les enfants de mon district, pas les envoyer à la guerre! Mais j'ai été un tel symbole de férocité que je juge qu'il est de mon devoir de retourner dans l'arène. Je suis encore forte

> « Tout comme Katniss symbolise l'amour, dit Golding, Enobaria symbolise la violence. »
> — Meta Golding

et je m'entraîne toujours. Je pense que j'ai des chances de gagner de nouveau. Mais c'est révoltant, et je suis furieuse. »

LA VAINQUEURE ENOBARIA DU DISTRICT DEUX (META GOLDING)

## SE REMETTRE DANS LA PEAU DU PERSONNAGE

Alors que les nouveaux acteurs travaillaient à définir leur personnage pour la première fois, les acteurs du premier film devaient imaginer comment leur personnage avait changé et évolué depuis le dernier film.

Katniss, par exemple, fait des cauchemars et doit composer avec les effets de sa première expérience dans l'arène. Jennifer Lawrence l'exprime ainsi : « [Quand la Tournée de la victoire commence], Katniss recommence à peine à reprendre une vie normale. Selon la règle, après une victoire, on ne peut plus être sélectionné à la Moisson. Il est tout simplement impensable pour elle d'avoir à retourner dans l'arène. » Pour avoir accès aux émotions de Katniss, Jennifer Lawrence a lu et s'est renseignée sur l'état de stress post-traumatique, condition débilitante qui suit souvent une expérience traumatisante comme aller à la guerre.

Pour elle, c'est très pénible d'être là, mais elle doit apprendre à faire confiance aux autres et à former des alliances durant les Jeux de l'Expiation. Jennifer Lawrence explique : « Dans les Jeux originaux, tous les autres tributs sont des ennemis. Mais dans ces jeux-là, Haymitch commence à faire valoir qu'il est important d'avoir des alliés. » Ce que Katniss ignore toutefois, c'est que certaines alliances sont plus solides que d'autres, et que certaines d'entre elles se sont formées avant même le début des Jeux de l'Expiation.

Katniss est moins à l'aise dans l'environnement

que les Juges ont créé cette fois-ci. « Les premiers Jeux se passaient dans le bois, indique Jennifer Lawrence. Mais cette arène-ci est toute nouvelle pour elle. C'est une jungle. Une jungle sinistre. »

Et, comme s'il ne suffisait pas que Katniss soit sous le choc, en territoire inconnu, cherchant désespérément des alliés qui pourraient la poignarder dans le dos, elle doit aussi composer avec des problèmes de cœur. Le public pourrait penser qu'entre Peeta et Gale le choix est simple, mais Jennifer Lawrence ne le voit pas de cet œil. Même si Katniss a établi des liens profonds avec les deux jeunes hommes, à ce moment, aucun ne peut lui donner ce dont elle a besoin. Selon Jennifer Lawrence : « Il y a des choses au sujet de la vie de Katniss aujourd'hui que Gale ne comprend pas, alors qu'avant il comprenait tout. Et il y a des choses à propos de sa vie actuelle que seul Peeta peut comprendre. Elle a donc deux vies parallèles et deux amours parallèles. » Katniss se sentira seule jusqu'à ce qu'elle trouve un moyen de démêler tout cela.

Ce que vit Peeta est bien différent parce qu'il comprend plus rapidement que Katniss les nouvelles réalités politiques. Dès le début du premier film, il est conscient du rôle que le Capitole veut faire jouer aux tributs. Il comprend qu'ils deviennent des gens entièrement différents dans l'arène et qu'ils vont y donner un spectacle. Puis, quand il revient à la maison, vivant, il découvre ce que le Capitole exige de ses prétendus vainqueurs. Josh Hutcherson explique :

> « Il y a des choses au sujet de la vie de Katniss aujourd'hui que Gale ne comprend pas... Et il y a des choses à propos de sa vie actuelle que seul Peeta peut comprendre. »
> — Jennifer Lawrence

« Katniss ne veut pas se faire remarquer, elle ne souhaite pas changer les choses parce qu'elle veut que sa famille reste en sécurité. Peeta, d'autre part… je ne crois pas qu'il veuille nécessairement une rébellion, mais il ne serait pas entièrement contre. »

La Tournée de la victoire et les Jeux de l'Expiation

# DES ATTITUDES QUI S'OPPOSENT

Katniss a des relations compliquées avec Peeta et Gale, c'est le moins qu'on puisse dire. Francis Lawrence décrit ces relations : « Les personnages de Josh et de Liam ont été élargis dans ce film. On comprend mieux leurs convictions et leurs philosophies ainsi que leurs intentions envers Katniss. Gale représente le besoin de réagir. Le besoin de se rebeller et de se battre, voire même d'utiliser la violence. Peeta représente le contraire. Il veut que les gens règlent les problèmes par des moyens non violents et il est très éloquent. Souvent, il peut résoudre les problèmes avec des mots.

« Katniss est chez elle, elle passe plus de temps avec Gale. Mais elle a un lien envers Peeta à cause de ce qu'ils ont vécu ensemble. Katniss essaie d'oublier tout ce qui est arrivé, mais elle se retrouve plongée dans l'arène et c'est très facile pour elle de compter de nouveau sur le soutien de Peeta. »

GALE HAWTHORNE
(LIAM HEMSWORTH)
MAÎTRISÉ PAR DES
PACIFICATEURS

PRIMROSE EVERDEEN
(WILLOW SHIELDS)
ET BUTTERCUP

réjouissent les résidents du Capitole, mais ils enragent le meilleur ami de Katniss, Gale. Liam Hemsworth décrit ainsi son personnage : « L'histoire de Gale se complexifie. Il voit les Jeux de l'Expiation comme une autre trahison du Capitole. Son rôle a maintenant plus d'importance, et on sent le feu qui brûle en lui. Il ne peut plus rester assis et regarder, il doit agir. Même quand Katniss lui propose de fuir, il sait que ce n'est pas ce qu'il doit faire. »

Primrose Everdeen, la sœur de Katniss, reste dans le district Douze quand Katniss part pour la Tournée de la victoire et, plus tard, pour les Jeux de l'Expiation. Mais Prim est plus forte cette fois-ci; elle est capable de prendre sa place et de soutenir sa

# BUTTERCUP

Un des personnages qui apparaît tout au long de la série est Buttercup, « le chat le plus laid du monde », comme l'affirme Katniss dans le roman *Hunger Games*. Dans le livre de Suzanne Collins, le chat est décrit ainsi : « Il a le nez aplati, il lui manque la moitié d'une oreille et ses yeux sont couleur de vieille courge. » Il aime Prim sans réserve, mais il se méfie de Katniss depuis le moment où elle a tenté de le noyer dans un seau, lorsque Prim avait ramené à la maison ce petit chaton couvert de puces.

*Dans Hunger Games : L'embrasement*, cependant, Buttercup et Katniss établissent un nouveau lien, si on peut dire, parce que Buttercup déteste presque autant que Katniss la nouvelle maison des Everdeen dans le Village des vainqueurs.

famille pendant l'absence de Katniss.

Willow Shields, la jeune actrice qui joue Prim, s'est penchée sur la relation entre les deux sœurs. « Quand Prim était enfant, leur père est mort et leur mère a plus ou moins perdu la tête à cause de ça, alors Katniss et Prim sont devenues proches; elles sont unies par un lien d'amitié et de loyauté. Elles se sont toujours serré les coudes et Katniss a toujours pris soin de Prim. »

Leurs rôles changent par contre, et Prim a dû mûrir rapidement. Willow Shields sait que son personnage a pris beaucoup de maturité depuis le dernier film. « Katniss lui a appris à aider leur famille, à aider leur mère. Et bien entendu,

Prim devient une meilleure guérisseuse en même temps. »

Son rôle dans la communauté s'est aussi élargi. « Prim est davantage une guérisseuse dans les *Hunger Games : L'embrasement*, tout comme sa mère l'était, souligne Willow Shields. Elle s'est mise à soigner tout le monde dans le district Douze. »

Effie Trinket, qui escorte les tributs du district Douze aux Jeux chaque année, peut sembler être très superficielle au départ. Elizabeth Banks, qui joue Effie, explique : « Effie apporte vraiment beaucoup d'humour dans les films. *Hunger Games* et *Hunger Games : L'embrasement* abordent beaucoup de thèmes sérieux et génèrent beaucoup

EFFIE (ELIZABETH BANKS) ET PEETA (JOSH HUTCHERSON) À LA FÊTE DU PRÉSIDENT

# JEU DE CAMÉRA

Stanley Tucci joue le rôle de Caesar Flickerman, l'animateur de l'émission télévisée *Hunger Games*. Il déploie une énergie sans bornes pour les Jeux de l'Expiation, même quand ses interviews prennent des tournures inattendues. « Vous voyez la juxtaposition de ce qu'il fait et de ce qui se passe dans les districts, raconte Tucci, et c'est très dérangeant. » Alors que des drames se préparent, Flickerman fait ce qu'il a toujours fait : il interviewe les tributs avant qu'ils aillent dans l'arène pour mourir. « Mais Katniss est beaucoup moins naïve cette fois, dit-il. Elle sait comment utiliser Caesar et son émission à ses fins. »

d'émotions. Effie apporte un peu de légèreté quand il est temps d'oublier les larmes et les émotions. J'aime vraiment la place que j'occupe dans le film. »

Malgré tout, durant *Hunger Games : L'embrasement*, le personnage d'Effie évolue progressivement. Au début, elle a hâte d'escorter Katniss et Peeta pendant leur Tournée de la victoire, de les présenter partout à Panem. Elle n'a jamais eu de vainqueur dans son district, et maintenant elle en a deux! Enfin, elle est reconnue par le président Snow et le Capitole, et Effie aime plus que tout être sous les projecteurs.

Puis soudainement, moins d'un an plus tard, ses tributs sont rappelés, envoyés vers une mort presque certaine. « Quand les Jeux de l'Expiation arrivent, Effie sent qu'on lui vole quelque chose qui lui tient vraiment à cœur, explique Elizabeth Banks. Elle est sans contredit bien adaptée à son monde, mais maintenant elle le voit sous un angle différent et ne peut plus fermer les yeux. »

> « [Les films] abordent beaucoup de thèmes sérieux et génèrent beaucoup d'émotions. Effie apporte un peu de légèreté quand il est temps d'oublier le temps des larmes et les émotions. »
> — Elizabeth Banks

Pendant ce temps-là, pour le président Snow, les Jeux de l'Expiation ne sont qu'une nouvelle manœuvre dans un jeu dangereux. À la fin du premier film, l'acte de rébellion de Katniss ébranle l'autorité du Capitole, et le président Snow sait, mieux que quiconque, à quelle vitesse le Capitole pourrait perdre la mainmise qu'il a sur les districts. « C'est une société créée par la force, déclare Donald Sutherland qui incarne le président. Il n'y a aucune générosité. C'est comme si elle était faite de papier, vraiment fragile. Une seule étincelle pourrait y mettre le feu… et tout serait fini. »

Le président Snow voit immédiatement que

Katniss est dangereuse, mais il la trouve aussi fascinante. Donald Sutherland explique : « Il se rend compte, pratiquement dès le premier instant, que personne n'a représenté de menace jusqu'à présent et que Katniss est la manifestation de cette menace. Une partie de lui aime ça. Être si vieux et devoir affronter un défi vers la fin de sa vie. Ça le réjouit en quelque sorte ».

La première scène de Donald Sutherland dans *Hunger Games : L'embrasement* est celle dans la maison des Everdeen où ils ont leur premier tête-à-tête. Le président Snow dit à Katniss qu'il n'a pas été convaincu par l'histoire des amants maudits qu'elle a mise en scène dans l'arène, mais que sa vie dépend de sa capacité à convaincre le reste de Panem que cette histoire était authentique. « C'était pour ainsi dire exactement ce que Suzanne Collins avait écrit. Cette scène était un

> « C'est une société créée par la force... C'est comme si elle était faite de papier, vraiment fragile. Une seule étincelle pourrait y mettre le feu. »
> — Donald Sutherland

vrai plaisir », se souvient Donald Sutherland. Il avoue même avoir un peu d'affection pour le président Snow, le méchant de l'histoire. « J'adore la précision avec laquelle il travaille. »

Avec des acteurs prêts à incarner leur personnage, un réalisateur bien en place et toute une équipe assemblée en arrière-scène, il est temps de commencer à donner vie à *Hunger Games : L'embrasement*.

LE PRÉSIDENT SNOW
(DONALD SUTHERLAND)

# PARTIE 3
# ÉLARGIR LE
# MONDE DE PANEM

## IMAGINER PANEM

L'équipe de conception de *Hunger Games : L'embrasement* devait maintenir une image correspondant à celle du premier film tout en innovant dans le second. Il y avait là d'immenses possibilités créatives pour tous les participants. Le réalisateur Francis Lawrence déclare :

« Je pensais que c'était important de collaborer avec Phil Messina, notre directeur artistique, afin que l'esthétique soit uniforme. Nous n'avons rien réinventé. Nous nous sommes contentés de repousser les frontières du dernier film ».

Le producteur Jon Kilik l'exprime ainsi : « Nous devions commencer là où l'architecture du premier film

s'arrêtait, avec ce style fort et graphique qui cimente le tout, mais en bâtissant et en l'ouvrant pour inclure les exigences du deuxième livre. Vous avez le manoir du président Snow et une nouvelle version du centre d'Entraînement… ils devaient être liés avec ce que nous avions vu la première fois ».

Phil Messina avait hâte de relever des défis de conception comme ceux de la nouvelle Corne d'abondance et de la fête du président. « J'ai vraiment aimé ce que nous avons fait la première fois, mais l'améliorer un peu… c'est toujours agréable », avoue-t-il. L'ampleur du nouveau film lui a donné de nouvelles

WOODY HARRELSON ET LE
RÉALISATEUR FRANCIS LAWRENCE
DISCUTENT SUR LE PLATEAU.

occasions de construire un monde. Dans le deuxième film, Katniss et Peeta se promènent partout dans Panem et dans divers lieux à l'intérieur du district Douze et du Capitole. Puis ils sont brusquement transportés dans une toute nouvelle arène où se trouvent de nombreux obstacles pour les tributs.

Comme *Hunger Games : L'embrasement* nous amène à plus d'endroits dans le district Douze que dans le premier film, Phil Messina et son équipe ont eu l'occasion de l'explorer davantage. Et ce que le public a vu du Capitole pourrait changer de façon assez radicale parce que comme l'indique le décorateur de plateau Larry Dias, « C'est une société très branchée et qui adore l'éphémère. Au Capitole, il y a toujours un nouveau spectacle. »

Ils ont dû décider dès le départ s'il était plus logique de tourner dans de vrais sites ou de créer les décors de toutes pièces. Selon Nina Jacobson, le réalisateur avait des idées bien arrêtées sur le sujet. « Francis voulait

> « Quand je peux, j'essaie autant que possible de tourner dans de vrais endroits pour que les choses restent ancrées. »
> — Francis Lawrence

absolument garder l'impression que ce sont de vraies choses qui arrivent à de vraies personnes. Même si c'est dans le futur, on devait tout de même sentir que c'était immédiat et urgent. »

Francis Lawrence ajoute : « Quand je peux, j'essaie autant que possible de tourner dans de vrais endroits pour que les choses restent ancrées. La scène du chariot, par exemple, a presque été créée entièrement en numérique, mais nous avons aussi tourné en extérieur sur un terrain plat, avec de vrais chevaux, et nous avons fait en sorte qu'elle semble aussi authentique que possible ».

Un décor à la fois, l'équipe de direction artistique a commencé à créer les scènes décrites dans le roman de Suzanne Collins.

# LA LOGISTIQUE

Quand on voit un film qui dure à peine deux heures, il peut être difficile d'imaginer combien d'heures de tournage ont été nécessaires. Le tournage de *Hunger Games : L'embrasement* a pris 89 jours : 56 jours dans la région d'Atlanta, 30 jours à Hawaii, deux jours à New York et un jour à Los Angeles. Il y a environ 1 500 personnes en tout qui ont participé au film — de ceux qui travaillent à la pré-production, aux acteurs et aux équipes d'artistes d'effets visuels.

EN HAUT : CAMÉRAMAN PRÊT À FILMER ELIZABETH BANKS (EFFIE TRINKET)
EN BAS : LA MAQUILLEUSE PRINCIPALE, NIKOLETTA SKARLATOS, APPLIQUE UN MAQUILLAGE DE CAMOUFLAGE AU DROGUÉ DU DISTRICT SIX (JUSTIN HIX).

KATNISS (JENNIFER LAWRENCE) FAIT DU
TROC AVEC UN VENDEUR DE LA PLAQUE.

# DISTRICT DOUZE

Le quartier général de l'équipe de production était situé à Atlanta, en Géorgie, vaste région métropolitaine possédant une grande diversité de sites, y compris quelques parcelles de campagne. À l'intérieur des limites de la ville, l'équipe a trouvé le Goat Farm Arts Center, fabrique historique du 19e siècle qui est maintenant une ferme biologique urbaine et une communauté d'artistes. Ce lieu convenait parfaitement au tournage des scènes du district Douze.

« Ils nous ont cédé la place, déclare Francis Lawrence. Nous avons nivelé le terrain, puis nous avons construit notre Hôtel de justice. Il s'intégrait vraiment bien dans le décor parce qu'il y avait plein de vrais bâtiments tout autour de nous; ensuite, nous avons ajouté des éléments numériques pour bien rendre l'effet des montagnes et de l'équipement minier, et donner une bonne idée de l'étendue du district Douze, tout en restant sur la place. »

Toujours à Atlanta, l'équipe a trouvé Pullman Yard, un site industriel qui était utilisé pour entretenir les trains… l'endroit parfait pour construire la Plaque. « Pour respecter le scénario, il fallait non seulement construire la Plaque, mais aussi le bidonville la ceinturant, explique Phil Messina.

Cet endroit nous permettait d'avoir tout l'espace dont nous avions besoin, tout en conservant le caractère que ces lieux avaient dans le premier film. Il y a, cependant, beaucoup plus d'espace, et nous savions que nous en aurions besoin pour mettre en scène le saccage des Pacificateurs. Nous avons donc aménagé un espace assez grand à l'intérieur; c'était comme le Rose Bowl des *Hunger Games* là-dedans. »

Le décorateur de plateau Larry Dias a fait des merveilles à l'intérieur de cet espace caverneux, le transformant en une sorte de marché aux puces où des stands pour les vendeurs sont séparés par des bouts de vieux tuyaux. On dirait même que certaines personnes dorment dans leur stand, ce qui ajoute à l'impression générale de pauvreté et de désespoir.

« Dans le village de baraques que nous avons construit, il y a la Plaque, mais aussi tous les gens qui gravitent autour de la Plaque. La situation de Katniss n'était pas reluisante là où elle vivait auparavant, mais celle des gens ici est bien pire. La juxtaposition avec le Village des vainqueurs est réussie, explique Phil Messina. Katniss vit maintenant dans le village, mais elle se sent toujours plus à l'aise à la Plaque. »

NE VUE DU QUARTIER LE PLUS
UVRE DU DISTRICT DOUZE

ES MINEURS QUITTENT LA VEINE
UR ALLER TRAVAILLER.

UN CROQUIS CONCEPTUEL DE PRÉ-PRODUCTION
REPRÉSENTANT LE DISTRICT DOUZE

Joanna Bash
3/23/12

# DISTRICT DOUZE : LE VILLAGE DES VAINQUEURS

Dans le livre, le Village des vainqueurs est décrit comme une série de maisons. Phil Messina imagine donc douze maisons identiques le long d'une seule rue. « Nous voulions qu'elles soient toutes identiques, comme d'étranges logements pour travailleurs », explique-t-il. Comme le district Douze a produit peu de vainqueurs, la plupart des maisons sont vides. Phil Messina a fait des dessins et des peintures de sa vision de ce quartier chic. Même si les détails n'apparaissent pas tous dans le film, il a entièrement recréé ce quartier dans sa tête.

Les repéreurs se sont mis à la recherche d'un nouveau lotissement qui serait parfait pour le tournage, mais, au final, l'équipe de production a décidé de construire le village idéal à partir de zéro. Pour les extérieurs, l'équipe a construit quelques façades. Associées aux écrans verts, elles deviennent l'aspect extérieur du Village des vainqueurs. Pour les intérieurs, les membres de l'équipe ont construit la maison entière de Katniss sur une scène au Georgia World Congress Center, ainsi que les décors intérieurs pour les maisons de Peeta et de Haymitch.

Les maisons sont somptueuses pour le district Douze, mais ne ressemblent en rien aux résidences opulentes du Capitole. Cherchant une inspiration pour décorer ces plateaux, Larry Dias a imaginé qu'il était embauché par le Capitole comme designer d'intérieur pour les vainqueurs. « C'est un peu comme des maisons modèles, d'une certaine façon, dit-il, ni chaleureuses ni confortables. Elles sont magnifiquement décorées, remplies de meubles formidables, mais d'un style dépouillé, exempt de toute

Un croquis de pré-production du Village des vainqueurs du district Douze
À gauche : Paula Malcomson (Mme Everdeen) et Willow Shields (Primrose Everdeen) pendant une pause sur le plateau de la maison des Everdeen, dans le Village des vainqueurs

personnalité et de vie. » Il a décidé que le devant de la maison, où Katniss ne passe pas beaucoup de temps, serait très formel et que la personnalité de sa famille ne se révélerait que dans la cuisine située à l'arrière de la maison.

« Les meubles de la maison de Katniss sont peints à la main avec beaucoup d'éléments floraux et fauniques, symboles de Katniss et de son amour des bois, explique Larry Dias. J'ai joué là-dessus et j'ai imaginé que cela la hantait presque : voici de magnifiques meubles de bois peints à la main pour te rappeler tout ce que tu ne peux pas avoir. Pour la maison de Peeta, nous avons fait la version masculine de la maison de Katniss. Et pour celle de Haymitch, eh bien, c'est comme s'il l'avait complètement détruite au fil des ans, depuis sa victoire. C'est un désordre d'ivrogne, complètement chaotique. »

Ci-dessus : Le salon élégant de la maison des Everdeen
À droite : Prim (Willow Shields) et Mme Everdeen (Paula
Malcomson) préparent un repas dans la cuisine de leur
nouvelle maison, qui est la pièce où la famille passe le
plus de temps.

PEETA (JOSH HUTCHERSON) ET KATNISS
(JENNIFER LAWRENCE) RENDENT VISITE
À HAYMITCH (WOODY HARRELSON) DANS
SA MAISON SENS DESSUS DESSOUS,
AU VILLAGE DES VAINQUEURS.

LES FOULES ACCLAMENT PEETA ET
KATNISS PENDANT LA TOURNÉE DE
LA VICTOIRE.

## LA TOURNÉE DE LA VICTOIRE : LES DISTRICTS

En essayant d'imaginer les arrêts pendant la Tournée de la victoire, Phil Messina s'est vite rendu compte que la meilleure façon d'utiliser les ressources serait de filmer tous les arrêts dans un seul lieu. « Nous devions donner l'illusion de plusieurs lieux, car il nous était impossible de filmer toutes ces scènes dans différentes parties de l'État, d'autant plus qu'elles s'intègrent à un montage, explique-t-il. Nous avons donc fini par conclure qu'au cours de cette Tournée de la victoire, ils étaient probablement souvent accueillis devant des hôtels de justice. Nous avons tout de même dévié un peu de cela pour offrir plus de variété, mais nous avons essentiellement tourné toutes les scènes au même endroit. Nous avons filmé une vraie foule dans des décors auxquels nous avons ajouté des images de synthèse. Et nous avons aussi ajouté des enseignes pour diversifier les scènes. »

Avant que les décors des districts ne soient créés numériquement, Phil Messina les a décrits aux membres de son équipe. Ceux-ci ont généré des illustrations conceptuelles riches et texturées du district Quatre (la pêche), du district Cinq (l'énergie) et du district Huit (le textile). Ils ont étoffé davantage le district Onze, puisqu'il s'agit de celui de Rue et visiter ce district est un moment pénible pour Katniss pendant la Tournée des vainqueurs. Phil Messina a conçu une gare et un hôtel de justice pour le district Onze, ainsi qu'un aperçu du district vu de la fenêtre d'un train. Ses images rendent bien le contraste entre les scènes bucoliques et l'État policier décrit dans le livre : « Je vois les tours d'observation espacées uniformément, dotées de gardes armés, totalement étrangères aux champs de fleurs sauvages qui les entourent. » La beauté des champs pourrait, pour un bref instant, faire oublier à une passagère qu'elle fonce vers un district étroitement surveillé.

PEETA (JOSH HUTCHER-
SON) SE TIENT AUX CÔTÉS
DE KATNISS (JENNIFER
LAWRENCE) TANDIS QU'ELLE
S'ADRESSE AUX HABITANTS
DES DIFFÉRENTS DISTRICTS
LORS DE LA TOURNÉE DE
LA VICTOIRE.

PEETA (JOSH HUTCHER-
SON) SE TIENT AUX CÔTÉS
UNE RANGÉE DE PACIFICATEURS

En cherchant à développer le monde de Panem, les concepteurs de la production ont réalisé ce croquis de pré-production des cultures du district Onze. Ci-dessous : Un croquis de pré-production du district Onze avec des affiches représentant Rue et Tresh, les tributs qui ont été tués lors des 74es Hunger Games.

## LA TOURNÉE DE LA VICTOIRE : LE TRAIN

Tout comme le train qui ramène Harry Potter à Poudlard dans chacun des livres et des films, Lawrence et l'équipe de conception ont décidé que le train du Capitole devait essentiellement rester le même. « Nous l'avons seulement un peu rafraîchi », déclare Phil Messina.

Larry Dias ajoute : « Nous avons modifié le lustre de la voiture-restaurant et nous avons retravaillé les cristaux pour leur donner un air plus décadent. Nous avons aussi changé les autres luminaires et l'agencement des tables, mais la voiture-restaurant est demeurée pour l'essentiel la même. »

On a modifié la chambre de Katniss pour refléter l'atmosphère plus sombre du film en utilisant une palette de couleurs métalliques plus crues.

« Et nous avons aussi construit un wagon panoramique en queue de train, mentionne Larry Dias. Un wagon qui est entièrement fait de verre d'inspiration Art déco. Avec ses ornements métalliques argent et noir, il est vraiment magnifique. » Depuis ce wagon, Katniss et Peeta peuvent voir tout Panem… et tout Panem peut les voir.

CI-DESSUS : VUE DU LUXUEUX
WAGON DU TRAIN QUI EMMÈNE
LES TRIBUTS AU CAPITOLE
À GAUCHE : KATNISS (JENNIFER
LAWRENCE) ET EFFIE (ELIZABETH
BANKS) DANS LE TRAIN EN ROUTE
POUR LE CAPITOLE

UN CRACHEUR DE FEU À LA FÊTE

## LA FÊTE AU MANOIR DU PRÉSIDENT SNOW

Un des plateaux les plus exigeants et passionnants du film est la fête somptueuse qui est donnée dans la salle de banquet du manoir du président Snow, à la fin de la Tournée de la victoire. C'est une soirée extravagante où Katniss et Peeta rencontrent en personne les habitants du Capitole, qui sont à la fois éblouissants et déroutants.

La fête a été filmée à la Swan House, manoir classique et élégant construit au cœur d'Atlanta en 1928 par Edward et Emily Inman, héritiers d'une fortune bâtie sur le coton. Il se trouve dans un quartier grouillant, séparé de la rue par une longue allée privée, une fontaine en cascade, une pelouse en terrasses et de magnifiques jardins classiques. Comme le dit Elizabeth Banks : « Nous imaginons un monde du futur, mais nous le créons à partir de lieux du passé. On peut vraiment imaginer que ce bâtiment pourrait survivre à des centaines d'années d'agitation. »

> « Ce sont les gens du Capitole qui donnent à la fête son caractère extravagant, pas nécessairement l'architecture. »
> — Phil Messina

À GAUCHE : EFFIE (ELIZABETH BANKS) ACCOMPAGNE KATNISS (JENNIFER LAWRENCE) ET PEETA (JOSH HUTCHERSON) À LA FÊTE AU MANOIR DU PRÉSIDENT SNOW.

# LE FESTIN PRÉSIDENTIEL

L'impressionnant festin est inspiré d'une table que Phil Messina avait vue à un défilé de mode, mais il est de plus grande envergure. On voulait montrer une abondance de nourriture, plus que Katniss et Peeta ne pouvaient imaginer ou vraiment saisir. Comme Katniss le dit dans le roman : « La principale attraction de la soirée reste cependant la nourriture […] Il y a des tables chargées de mets raffinés tous plus extraordinaires les uns que les autres. » Alors que dans les districts, les gens meurent de faim, au Capitole, les gens se font vomir pour pouvoir ingurgiter encore plus de nourriture. L'abondance est à la fois attirante et dégoûtante.

C'est Larry Dias qui a créé toutes les tables du buffet. Elles faisaient quelque 60 mètres. Il se rappelle : « J'ai travaillé avec Rick Riggs, notre peintre. Nous avons trouvé une résine que nous avons teintée et nous l'avons appliquée sur un stratifié

réfléchissant, ce qui donnait un fond en miroir recouvert d'une solution teintée, qui a séché pour produire un fini durci. C'est comme ça que nous avons créé le style pour les dessus de table. » Les accessoires qui ont été utilisés pour la nourriture étaient importants aussi. Larry Dias explique : « J'ai créé des plateaux étagés illuminés avec des DEL à l'intérieur, ce qui les faisait rayonner, et j'ai trouvé 30 ou 40 candélabres que nous avons répartis sur la table. Nous avons utilisé beaucoup de verres à pied, de verrerie et de cristal pour créer cet environnement absolument décadent. » L'équipe a même créé des étiquettes pour la cuvée spéciale de champagne qui est servie à l'occasion de ce somptueux festin.

Le styliste culinaire Jack White a été chargé de créer le festin à proprement parler. Il fallait donner l'impression d'une très grande quantité de nourriture,  assez pour nourrir un nombre impressionnant de personnes, dont

deux centaines d'invités, 40 musiciens, 12 Muets, des cracheurs de feu et des gardes présidentiels. Tout devait avoir l'air inhabituel : ce devait être de la nourriture que Katniss n'aurait probablement jamais vue auparavant mais qu'elle (ou le public) voudrait manger.

Jack White secoue la tête d'étonnement et s'exclame : « Nous avions des cochons de lait. Et il y avait des côtes sur un plateau qui étaient de la taille de la vache. Vous savez, dans *Les Pierrafeu*, lorsqu'ils apportent cette grande chose et la posent sur la voiture? C'est ce que nous avons ici. »

Jack White a cherché de vrais aliments qui ont un aspect exotique. « Nous avions des carambles, des melons pepinos, des chérimoles, des ananas miniatures et beaucoup de raisins de Champagne. J'étais au septième ciel à regarder tout ça! »

DES PROJECTIONS COLORÉES SUR LES MURS DE LA SWAN HOUSE ONT PERMIS DE CRÉER UNE TOILE DE FOND FUTURISTE POUR LA FÊTE DU PRÉSIDENT SNOW.

Phil Messina raconte : « Au départ, les repéreurs ont pensé qu'on pourrait utiliser la Swan House comme maison pour le Village des vainqueurs, mais elle était trop grande. Plus tard, je me suis dit que nous pourrions utiliser l'extérieur pour la fête présidentielle, parce que le parc était magnifique. » L'équipe de conception a fini par construire un plateau offrant mille possibilités sur le parc de la Swan House, en plus d'utiliser plusieurs des pièces pour des scènes intérieures.

« Le président Snow est plutôt de la vieille école, donc le fait qu'il possède cette maison élégante au milieu d'un parc, la grande ville au loin… cela collait au personnage, continue Phil Messina. Ce sont les gens du Capitole qui donnent à la fête son caractère extravagant, pas nécessairement l'architecture. La maison du président Snow est presque comme la Maison-Blanche, ses détails classiques symbolisant le pouvoir. »

Même si la maison en soi est traditionnelle, Phil Messina a eu l'idée inattendue de « transporter » la Swan House dans le futur. « Je suis tombé sur un ouvrage de référence sur la projection d'images animées en 3D sur des structures, appelé projection architecturale. Je l'ai montré à Francis, qui a vraiment aimé, et nous avons fini par retenir les services d'une entreprise pour faire les projections pour nous. Donc on a une architecture classique comme point de départ, mais les projections rendent le bâtiment rose, violet et bleu. »

L'équipe de *Hunger Games : L'embrasement* a construit aussi un escalier de pierre menant au centre du manoir et un portail d'entrée grandiose.

Les préparations en vue de la fête du président sont aussi exagérées que tout ce qu'on peut trouver au Capitole. Larry Dias explique : « Il y avait une fontaine classique entourée de jardins classiques, alors nous avons construit des tables qui s'intégraient bien aux arbustes ». L'équipe a ajouté une piste de danse illuminée par des structures de lumière conçues par Phil Messina.

# LE MANOIR DU PRÉSIDENT SNOW : LES QUARTIERS DE SNOW

L'intérieur de la Swan House est aussi le lieu où les scènes des quartiers privés du président Snow ont été tournées. L'équipe de Phil Messina a retiré les meubles de trois pièces et les a remplacés par un décor convenant au style du président Snow. Larry Dias décrit ce style comme étant « très classique, dictatorial en quelque sorte. Il s'entoure de meubles antiques et de lustres de cristal et d'autres ornements ».

Par hasard, il y avait déjà un thème d'oiseau dans la Swan House dont l'équipe s'est inspirée pour *Hunger Games : L'embrasement*. Si on regarde de très près dans le bureau du président Snow, on y trouve un croquis de style victorien indiquant la désignation latine du genre et de l'espèce. Mais il ne représente pas une créature qui a vécu à l'époque victorienne ni à une autre époque : il s'agit d'un geai bavard.

Et, comme les roses blanches sont les préférées

LE PRÉSIDENT SNOW MANGE AVEC SA PETITE FILLE. UN BOUQUET DE ROSES BLANCHES, SES FLEURS PRÉFÉRÉES, ORNE LA TABLE.

du président, il y en a des bouquets partout dans ses quartiers. « La rose blanche est le symbole de la pureté, déclare Larry Dias. Elle représente tout ce que le président Snow n'est pas. »

PLUTARCH HEAVENSBEE (PHILIP SEYMOUR HOFFMAN) S'ENTRETIENT AVEC LE PRÉSIDENT SNOW (DONALD SUTHERLAND) DANS SON BUREAU. SUR LA TABLE TOUT À FAIT À DROITE DE LA PHOTO, ON PEUT VOIR LA REPRÉSENTATION D'UN GEAI BAVARD.

# LA SWAN HOUSE

Construite en 1928, la Swan House est un des joyaux architecturaux d'Atlanta. Elle a été commandée par Edward et Emily Inman, couple local célèbre et fortuné, et conçue par l'architecte classique américain Philip Trammell Shutze. Aujourd'hui, elle fait partie intégrante du centre historique d'Atlanta.

Mme Inman possédait deux tables aux ornements de cygnes, ce qui fait croire aux historiens qu'elles ont inspiré le motif de cygne qu'on retrouve partout dans la maison, du vestibule au vestiaire.

Jessica Rast Van Landuyt, gérante de la Swan House, raconte : « Mme Inman ne voulait certainement pas une maison moderne. Les Inman ont voyagé partout en Europe et ont vu tous les domaines anglais et les villas italiennes. Ils savaient exactement ce qu'il voulait dans leur maison de rêve.»

La maison a été conçue pour qu'on puisse y accéder en automobile, une nouveauté à l'époque, le long d'une longue et élégante allée privée. La façade a un caractère italien grandiose, qui impressionne les visiteurs. Mais lorsque le chauffeur continue le long de l'allée, il arrive à une entrée plus privée de style palladien, inspirée de l'architecture de la Grèce et de la Rome antiques.

Le plus jeune fils des Inman venait de partir pour l'université lorsqu'ils ont commencé à concevoir la maison, donc la vie familiale n'était pas un élément important dans leurs plans. Les étages supérieurs de la maison ne comptaient que quatre chambres à coucher, preuve qu'ils ne s'attendaient pas à ce que de nombreux invités y passent la nuit. Les étages inférieurs de la maison, cependant, consistent en une série de pièces grandioses. Leur taille somptueuse et généreuse les destine au divertissement.

Une fête pouvait se déployer jusque sur les terrains du manoir, comme c'est le cas dans *Hunger Games : L'embrasement*. La Swan House est entourée d'un terrain de 33 acres, ce qui comprend des jardins, des pelouses en terrasses, des arbustes et des fontaines en cascade.

Les propriétaires de la Swan House étaient ravis de voir les cinéastes utiliser leur propriété et de permettre à un jardin déjà magnifique de scintiller encore davantage.

# LE CENTRE D'ENTRAÎNEMENT : LES QUARTIERS DE KATNISS

Avant de tourner le premier film *Hunger Games*, Phil Messina avait vu des photos de l'énorme atrium de l'hôtel Marriott Marquis d'Atlanta. Ce design intimidant était

> « L'immensité de l'atrium est parfaite. C'est comme si on était dans le ventre de la bête. »
> — Phil Messina

parfait pour le Capitole, avait-il pensé, mais comme le film était tourné en Caroline du Nord, il n'avait pas pu l'utiliser dans le premier film. Quand Atlanta est devenu le lieu central du tournage de *Hunger Games : L'embrasement*, il a tout de suite su où établir le centre d'Entraînement, l'endroit où vivent et s'entraînent les tributs pendant qu'ils sont au Capitole.

« Nous avons pensé à la façon dont le Capitole, qui a toujours soif de nouveauté, aurait organisé ces Jeux, dit-il. Les Jeux de l'Expiation sont comme des matches des étoiles. Il y aura, à coup sûr, un nouveau centre d'Entraînement, un nouvel appartement. Tout doit être neuf. »

Quand l'architecte John C. Portman a conçu le Marriott en 1985, l'atrium était le plus grand au monde. Ses deux structures verticales d'une hauteur de 52 étages créent un sentiment d'espace infini. Après le défilé, Katniss et les autres tributs prennent l'ascenseur pour retourner à leur appartement, et, dans cette scène, l'atrium du Marriott est visible. « L'immensité de l'atrium est parfaite, dit Phil Messina. C'est comme si on était dans le ventre de la bête, ce qui est excellent sur le plan thématique. » Son style chargé cadre aussi sur le plan stylistique avec des éléments du film précédent.

Phil Messina continue : « Le régisseur de plateau d'extérieur m'a ensuite montré un étage vide : le dixième étage réservé aux réceptions. Il n'y a aucune chambre à cet étage qui s'ouvre sur de grandes fenêtres. Cela nous a donné l'idée d'y construire l'appartement de Katniss et

d'avoir un environnement réel de l'autre côté des fenêtres. »

Francis Lawrence adore ce concept. « Ça donne une bonne idée de la taille et la profondeur du vrai Marriott, explique-t-il, alors on ne se sent pas confiné comme quand le décor est situé sur une scène ou avec un écran vert en arrière-plan. La scène est vivante : on voit des Pacificateurs qui prennent l'ascenseur en arrière-plan et même avec le flou artistique, on a l'impression d'être dans un vrai endroit. »

Larry Dias a donné vie à ce plateau en pensant à un endroit où Katniss pourrait vivre. « Dans le dernier film, l'appartement de Katniss était coloré et un peu plus audacieux sur le plan du design, dit-il. Cette fois-ci, nous avons été plus sobres et avons joué avec des textures métalliques et des tons beaucoup plus doux. J'ai trouvé un sofa modulaire qui descend en cascade et qui a beaucoup de relief; il rappelle le design de la Corne d'abondance. Puis, au-dessus du sofa, nous avons accroché un cadre, ce sont des cubes de quatre sur quatre sur un grillage en fil de fer, qui rappellent le dôme que l'on voit à la fin du film. »

L'équipe de Phil Messina a même imaginé une plate-forme d'atterrissage pour hovercrafts sur le toit du centre d'Entraînement. Les membres de l'équipe ont élaboré cette idée dans des dessins et des peintures et l'ont créé grâce à des effets visuels. En arrière-plan de cette scène, on voit le toit du Marriott d'Atlanta entouré d'autres immeubles saisissants conçus par le même architecte.

KATNISS (JENNIFER LAWRENCE) DANS L'HOVERCRAFT QUI L'EMPORTE VERS L'ARÈNE

PEETA (JOSH HUTCHERSON) ET KATNISS
(JENNIFER LAWRENCE) DANS LEURS
QUARTIERS AU CENTRE D'ENTRAÎNEMENT

Peeta (Josh Hutcherson) et
Katniss (Jennifer Lawrence)
au centre d'Entraînement

## LE CENTRE D'ENTRAÎNEMENT : LE GYMNASE

Le gymnase du centre d'Entraînement des tributs n'a pas été filmé au Marriott, mais au Georgia World Congress Center, situé tout près. Comme le centre d'Entraînement dans le premier film, c'est un endroit où les tributs perfectionnent les habiletés dont ils ont besoin dans l'arène, notamment la maîtrise de diverses armes ou l'apprentissage des rudiments de la survie en pleine nature. Dans ce film, l'endroit dégage une atmosphère différente, cependant. Larry Dias explique : « Il y a moins d'innocence au centre d'Entraînement cette fois-ci. Dans les premiers Jeux, c'est une bande d'enfants qui arrivent. Là, ce sont de vieux durs à cuire qui reviennent, il s'agit donc moins d'un centre d'entraînement. »

ENOBARIA (META GOLDING) MANIE UNE ÉPÉE AU CENTRE D'ENTRAÎNEMENT

> « En raison de son ampleur considérable, cette production était complexe. Un jour, on était dans une eau à sept degrés Celsius avec cinq personnages sur une île volcanique qui tournait sur elle-même; le lendemain, on était sur une grande place avec 500 figurants; le jour d'après, on faisait brûler un bâtiment et le suivant, on déplaçait des wagons de train dans une forêt. Ce qui est formidable, c'est que tous ces éléments complexes servent les intérêts d'une histoire vraiment poignante et remplie d'émotion. »
>
> — Francis Lawrence

## SUR PLACE

Tourner à Atlanta a parfois occasionné certains problèmes, comme tous les bruits normaux d'une ville. « On avait l'impression qu'il y avait toujours un train ou un métro qui passait à toute allure », se rappelle Francis Lawrence. Alors on était constamment en train d'essayer d'échapper au bruit. C'était un peu difficile quand les gens faisaient des discours lors de la Tournée de la victoire et à d'autres moments. » Dans l'ensemble, cependant, Atlanta était un endroit parfait pour tourner les scènes dans le district et au Capitole. En tout, l'équipe a passé 56 jours à filmer sur place en Géorgie.

Une fois toutes les scènes tournées, il était temps de passer à une nouvelle série de séquences : celles dans l'arène.

WOODY HARRELSON (HAYMITCH) SE PRÉPARE À JOUER UNE SCÈNE AVEC PATRICK ST. ESPRIT, L'ACTEUR QUI INCARNE ROMULUS THREAD, LE NOUVEAU CHEF DES PACIFICATEURS DU DISTRICT DOUZE.

PARTIE 4
# CONCEVOIR
# L'ARÈNE

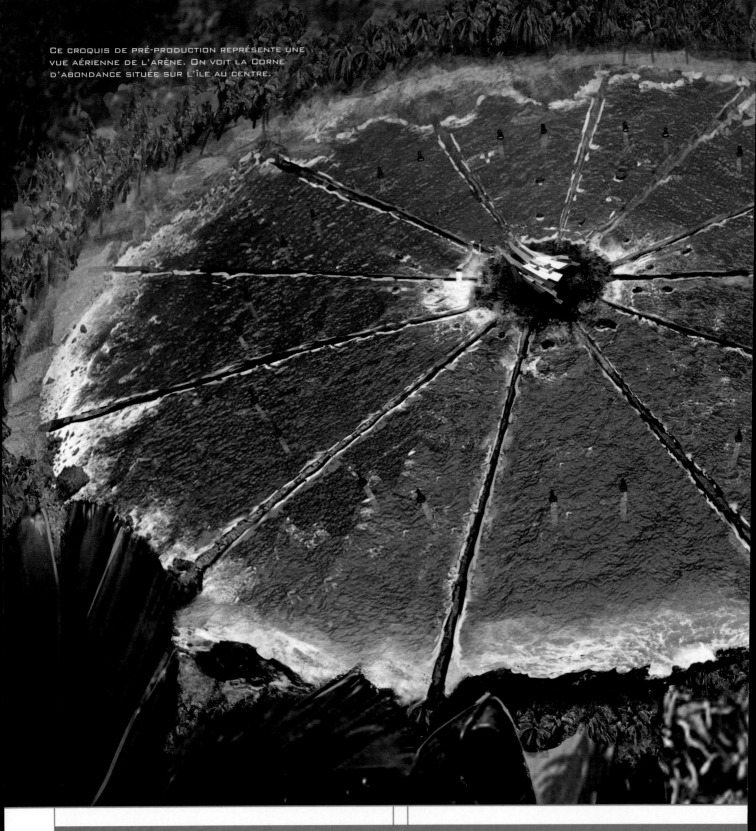

CE CROQUIS DE PRÉ-PRODUCTION REPRÉSENTE UNE
VUE AÉRIENNE DE L'ARÈNE. ON VOIT LA CORNE
D'ABONDANCE SITUÉE SUR L'ÎLE AU CENTRE.

« Le sol paraît trop clair, trop lumineux, et ondule sans arrêt.
En plissant les paupières, je constate que la plaque sur laquelle
je me tiens est entourée de vaguelettes qui me lèchent les bottines.
Lentement, je lève les yeux et j'embrasse du regard l'eau qui
s'étend à perte de vue dans toutes les directions... L'endroit
est plutôt mal choisi pour une fille du feu. »
— Hunger Games : L'embrasement

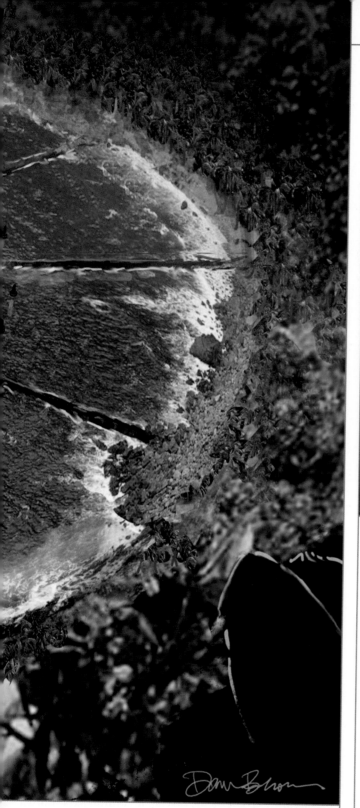

KATNISS (JENNIFER LAWRENCE) DANS L'ARÈNE

# L'ARÈNE

Quand Katniss Everdeen arrive dans l'arène, pendant un bref instant, elle est désorientée, mais elle se met rapidement à examiner le territoire qui l'entoure. Elle veut savoir ce qui l'attend. Elle voit la Corne d'abondance, sur une petite île entourée d'eau salée turquoise, qui scintille sous le soleil. De minces bandes de terre partent de l'île,

comme les rayons d'une roue. Les tributs sont répartis, deux par deux, entre les rayons. Ils se tiennent sur des socles en métal. Au-delà de l'étendue d'eau, on ne voit qu'une bande de plage, et puis la jungle luxuriante et dense.

« L'arène elle-même joue un rôle plus important encore dans l'histoire que certains des autres tributs, dit Francis Lawrence. Elle est un endroit plus interactif, plus stylisé. Les tributs émergent de l'eau sur des espèces d'ascenseurs, alors pour commencer les Jeux, ils doivent nager, puis grimper sur des roches volcaniques. Cette arène est beaucoup plus épineuse que la précédente et les Juges y ont glissé toutes sortes de secrets. »

Lorsqu'elle s'est penchée sur les scènes de l'arène, l'équipe de *Hunger Games : L'embrasement* a déterminé qu'elle devait tourner en deux lieux. Le premier combat à la Corne d'abondance pouvait être filmé à Atlanta, mais, pour le reste, son choix s'est posé sur Hawaï, un endroit qui peut vraiment rendre l'aspect tropical de l'arène.

## ATLANTA : LA CORNE D'ABONDANCE

Cependant, avant même qu'un lieu de tournage ne soit choisi, il a fallu concevoir la Corne d'abondance. Et le directeur artistique Phil Messina a dû prendre une grande décision. « J'ai eu de nombreuses discussions avec Francis. Nous nous demandions si la Corne d'abondance devait ressembler à ce qu'on voit dans le premier film, ou si elle devait changer en même temps que l'arène. Nous avons fini par nous poser la question : "Comment les Juges aborderaient-ils cela?" Comme le Capitole est une sorte de société jetable, où tout ce qui est nouveau est toujours meilleur, nous avons décidé d'essayer quelque chose de différent. »

Mais ce choix n'était que la première étape. On ne voulait pas que la structure ressemble à la Corne d'abondance précédente, mais à quoi devait-elle ressembler? Phil Messina a estimé qu'il pouvait s'éloigner un peu du genre de corne d'abondance que l'on voit à l'Action de grâce. Cette fois-ci, il pouvait aller un peu plus dans l'abstrait.

« J'ai fait d'innombrables croquis et illustrations, se rappelle-t-il. Vous devriez voir tout ce que j'ai jeté! Mais une des inspirations principales a été un livre que Bryan Unkeless m'avait donné sur les monuments soviétiques. Ils sont faits de béton, et la plupart d'entre eux sont ni plus ni moins abandonnés et se dégradent tranquillement. Il y en a un qui est en ruine; il ne reste pratiquement que des débris. Ça m'a frappé. Il semblait parfait pour ce que nous essayions de faire. Et puis, pour la finition, j'ai regardé le travail d'un autre artiste, Anish Kapoor, qui fait beaucoup de sculptures métalliques, des choses très spéciales, où l'espace est en quelque sorte inversé. Son travail m'a donné l'idée qu'on pourrait faire

une Corne d'abondance chromée, ce qui lui donnerait presque l'air d'être tombée de l'espace et d'avoir atterri sur cette île. Tout cela devrait permettre au spectateur de ressentir en quelque sorte le mouvement dans la structure… avant même qu'elle ne commence à tourner sur elle-même. »

Dans le livre, la Corne d'abondance se trouve sur une île de sable, mais Francis Lawrence et Phil Messina l'ont plutôt imaginée sur une île rocheuse inhospitalière qui laisse présager le pire… pas un endroit paisible où les vagues viennent caresser le sable. « Nous avons décidé de faire de l'île une représentation flagrante de ce que les

> « Cela devrait permettre au spectateur de ressentir en quelque sorte le mouvement dans la structure… avant même qu'elle ne commence à tourner sur elle-même. »
> — Phil Messina

LA CORNE D'ABONDANCE SUR UNE ÎLE ROCHEUSE
SELON UN CROQUIS DE PRÉ-PRODUCTION

VOICI DEUX
MONUMENTS
SOVIÉTIQUES
ABANDONNÉS
QUI ONT SERVI
D'INSPIRATION
À LA CRÉATION
DE LA CORNE
D'ABONDANCE.

tributs allaient devoir affronter, explique Phil Messina. Quelque chose à la fois menaçant et provocant. »

Dès le début, ils ont discuté de la possibilité de la mettre dans un réservoir d'eau pour la filmer. Il est assez simple en postproduction de simuler une étendue d'eau plus importante grâce à des effets visuels. Cependant, Francis Lawrence tenait à ce que l'on filme le plus

possible dans un contexte réel. Et, le hasard faisant bien les choses, le lieu parfait s'est présenté.

« Notre régisseur de plateau d'extérieur a trouvé un parc aquatique construit pour les Olympiques de 1996, explique Phil Messina : le Clayton County International Park. C'est un grand plan d'eau circulaire artificiel. Sa fermeture était prévue pour la fin de la saison, après

L'ÉQUIPE A CRÉÉ LA CORNE D'ABONDANCE SUR UN LAC ARTIFICIEL DU PARC INTERNATIONAL DU COMTÉ DE CLAYTON. SUR CETTE PHOTO, ON L'APERÇOIT SUR L'ÎLOT CENTRAL, AINSI QUE QUELQUES-UNS DES RAYONS ET PLUSIEURS PLAQUES MÉTALLIQUES.

> « Tic, tac, l'arène est une horloge. »
> — Hunger Games : L'embrasement

la fête du Travail. Nous avons donc investi les lieux. Nous avons vidé le bassin, construit notre île au centre, installé notre décor, puis nous l'avons rempli d'eau. » Les constructeurs de décor ont également bâti quelques-uns des rayons qui séparent les différentes sections de l'arène et quelques plaques où se tiennent les vainqueurs au début des Jeux de l'Expiation.

L'une des caractéristiques de la Corne d'abondance,

> « Au moment d'écrire le livre, je n'ai pas vraiment pensé que mon idée de faire tourner les tributs sur l'île m'amènerait un jour à observer un groupe d'acteurs trempés et grelottants, tournoyant sur un grand disque et jouant quand même leur scène avec intensité. »
> — Suzanne Collins

PEETA (JOSH HUTCHERSON) S'ACCROCHE À LA PAROI ROCHEUSE QUAND L'ÎLE SE MET À TOURNER.

c'est que les Juges font tourner l'île sur laquelle elle est située pour désorienter tout tribut qui s'y trouve. Afin de créer cet effet dans le film, l'équipe a placé la Corne d'abondance sur un disque, comme un carrousel. Le coordonnateur des effets spéciaux, Steve Cremin, explique : « On pouvait la faire tourner à une vitesse qui générait suffisamment de force centrifuge pour qu'il soit difficile de s'y accrocher, mais qui restait sans danger pour les acteurs. » Faire vivre cet effet aux acteurs, plutôt que de le créer avec des effets spéciaux, amène une intensité supplémentaire à cette scène.

Par hasard, Suzanne Collins était sur le plateau le jour où cette partie du film a été tournée. Elle se rappelle : « Au moment d'écrire le livre, je n'ai pas vraiment pensé que mon idée de faire tourner les tributs sur l'île m'amènerait un jour à observer un groupe d'acteurs trempés et grelottants, tournoyant sur un grand disque et jouant quand même leur scène avec intensité. Je me sentais un peu coupable. Et ça me donnait le vertige. Leur bonne volonté et leur talent m'ont impressionnée. Le résultat final est fantastique. »

Après avoir fini de tourner les scènes à Atlanta, les comédiens et l'équipe de tournage se sont préparés à quitter les lieux, au grand soulagement de tout le monde parce que l'hiver était arrivé en Géorgie. L'équipe de *Hunger Games : L'embrasement* ne s'est pas fait prier pour retourner à Hawaï tourner le reste des Jeux de l'Expiation.

JENNIFER LAWRENCE INCARNE KATNISS QUI RAMPE JUSQU'AU CENTRE DE L'ÎLE, VERS LA CORNE D'ABONDANCE, SOUS L'ŒIL DES CAMÉRAS.

LES 75ᵉˢ HUNGER GAMES VIENNENT DE
COMMENCER. KATNISS (JENNIFER LAWRENCE)
S'APPRÊTE À DÉCOCHER UNE FLÈCHE SUR FINNICK
ODAIR (SAM CLAFLIN).

# HAWAÏ : LA JUNGLE

La région d'Atlanta offre une grande diversité de décors urbains et ruraux, mais Francis Lawrence savait qu'il lui fallait quelque chose de différent pour l'arène. L'endroit tout désigné a finalement été Hawaï, où il pouvait donner l'illusion d'une nature sauvage, tout en restant dans un environnement très sécuritaire.

La productrice, Nina Jacobson, raconte : « Pour

rendre l'action de l'arène, nous avions besoin d'une vraie forêt tropicale. Nous voulions du feuillage immense, nous voulions un aspect exotique. Aucun endroit ne pouvait égaler Hawaï, qui offre une juxtaposition de la jungle et de la plage. Nous avons donc tiré profit de cette géographie extraordinaire. »

« Il y a différentes sortes de terrains là-bas, alors on peut avoir des paysages variés à filmer dans la jungle », explique Francis Lawrence. Qu'il s'agisse des plages superbes ou de la canopée de la jungle luxuriante et pluvieuse, Hawaï a procuré l'arène idéale. Pour profiter encore davantage de cet incroyable décor, l'équipe a décidé d'utiliser une caméra spéciale pour porter l'arène au grand écran.

FINNICK (SAM CLAFLIN), PEETA (JOSH HUTCHERSON) ET KATNISS (JENNIFER LAWRENCE) FONT LE POINT SUR LES OBSTACLES DANS L'ARÈNE.

LE RÉALISATEUR FRANCIS LAWRENCE ET LA PRODUCTRICE NINA JACOBSON SUR LE PLATEAU À ATLANTA

« Pour rendre l'action de l'arène, nous avions besoin d'une vraie forêt tropicale. Nous voulions du feuillage immense, nous voulions un aspect exotique. Aucun endroit ne pouvait égaler Hawaï, qui offre une juxtaposition de la jungle et de la plage. »
— Nina Jacobson

KATNISS (JENNIFER LAWRENCE)
ET PEETA (JOSH HUTCHERSON)
PARTAGENT UN MOMENT D'INTIMITÉ
DANS L'ARÈNE.

# LES DÉFIS DE L'ARÈNE

Les acteurs et l'équipe de tournage ont passé environ six semaines en tout à Hawaï, recréant les défis terrifiants auxquels les vainqueurs font face dans l'arène pendant les Jeux de l'Expiation. « Nous avons passé la première semaine à tourner sur une plage, ce qui était très agréable, déclare le réalisateur Francis Lawrence. Il y a eu des moments où la marée était plus haute que prévu et une partie de notre décor a été emportée, mais nous nous sommes ressaisis. »

Le tournage dans la jungle a été plus compliqué. Le réalisateur continue : « Les jours sont plus courts quand on est sous la canopée ou dans les canyons. De plus, nous filmions ces scènes avec nos caméras IMAX qui

sont plus grosses et encombrantes. C'était parfois difficile de marcher sur des roches glissantes et de se frayer un passage à travers la jungle. »

Les scènes de l'arène exigeaient inévitablement plus d'effets spéciaux devant être ajoutés en postproduction, une fois le tournage terminé. Malgré cela, Francis Lawrence et son équipe ont fait tout leur possible pour garantir l'authenticité et exploiter l'effet émotionnel des éléments de décor de l'arène.

« À mon avis, les scènes d'action sont définies par une valeur émotive, même si ce n'est pas la première chose qui vient à l'esprit quand on pense à une scène d'action », dit Francis Lawrence. Chacune d'entre elles devrait être une expérience différente. Des éléments de l'histoire s'y produisent et font progresser l'intrigue. Il y a aussi des moments forts qui font évoluer les personnages, et les relations entre eux. »

L'un des premiers obstacles que les tributs doivent affronter est un orage déchaîné. Erik Feig se rappelle : « L'orage est construit autour d'un vrai figuier banian, un arbre magnifique qui est là depuis la nuit des temps. En fait, cet arbre est la raison pour laquelle nous avons choisi cet emplacement. L'orage est un effet généré par ordinateur, mais tout le reste dans cette scène, l'explosion y compris a été véritablement filmé ».

À ce moment-là, les personnages sont encore en état de choc; ils n'ont pas encore apprivoisé l'arène. À mesure qu'ils découvrent les obstacles, cependant, les vainqueurs essaient de comprendre ce qui les entoure. Les personnages se développent à mesure qu'ils prennent conscience de ce qui les attend. Des alliances entre les personnages se forment et se transforment.

Peu après l'orage, une pluie rouge tombe sur les tributs. Cette séquence a été tournée sur la plage à

> « L'orage est construit autour d'un vrai figuier banian, un arbre magnifique qui est là depuis la nuit des temps. »
> — Erik Feig

Hawaï. Johanna, Beetee et Wiress courent sur le sable, pris de panique, couverts du sang créé par les maquilleurs de l'équipe. Le public ne verra pas la pluie qui tombe, mais plutôt son effet : la confusion.

Plus tard, les vainqueurs sont pourchassés par une volute de brouillard qui s'avère toxique et laisse des zébrures repoussantes et douloureuses sur la peau des personnes qu'elle touche. Sur le plateau, la maquilleuse Ve Neill a créé pour l'occasion des cloques suintantes d'un grand réalisme. Les acteurs ont joué la scène dans un brouillard créé par l'équipe de tournage, et un brouillard supplémentaire a été ajouté numériquement

ERIK FEIG, PRÉSIDENT DU LIONSGATE MOTION PICTURE GROUP, ET JOSH HUTCHERSON, SUR LE PLATEAU À HAWAÏ

KATNISS (JENNIFER LAWRENCE) SE TIENT PRÊTE. DERRIÈRE ELLE, ON APERÇOIT UN AUTHENTIQUE FIGUIER BANIAN.

en postproduction. Pour le réalisateur Francis Lawrence, sur le plan émotionnel, cette scène représente le sacrifice et la perte. On y trouve aussi la poussée d'adrénaline que déclenche le fait d'essayer de fuir le brouillard.

Francis Lawrence se rappelle : « Ensuite, dans la jungle, il y a une scène avec des singes vicieux et vraiment agressifs, inspirés de vrais singes appelés mandrills. Ils sont très dangereux et belliqueux et quasiment impossibles à dresser. On ne pouvait pas utiliser de vrais singes pour se battre avec nos personnages.

Alors, on a choisi un vrai endroit dans la jungle et on a demandé aux acteurs de se battre contre des créatures qui n'étaient pas là. Nous avons essayé de rendre la scène aussi réaliste que possible en utilisant des doublures pour

JOHANNA (JENA MALONE) APRÈS LA PLUIE DE SANG
Ci-dessus : LES COIFFEURS-STYLISTES, JOE MATKE ET LINDA FLOWERS, AVEC LA DROGUÉE DU DISTRICT SIX (MEGAN HAYES)

KATNISS (JENNIFER LAWRENCE) ET PEETA (JOSH
HUTCHERSON) PLONGENT FINNICK (SAM CLAFLIN)
DANS L'EAU POUR LE DÉSINTOXIQUER APRÈS SON
EXPOSITION À UN BROUILLARD EMPOISONNÉ.

KATNISS (JENNIFER LAWRENCE) ET
FINNICK (SAM CLAFLIN) DANS L'ARÈNE
AVANT L'ATTAQUE DES SINGES

se battre un peu et pour donner une idée des scènes aux acteurs; les animaux ont été ajoutés plus tard, lors de la postproduction. Mais comme nous avions créé nos créatures à partir d'animaux réels, nous avions toute une échelle comportementale sur laquelle nous baser. Ce n'est pas entièrement de la fiction et je pense que le tout forme une scène très réaliste. » Avant tout, la rencontre avec les singes sème la peur parmi les tributs.

    Quand ils voient une énorme vague déferler au

loin, Katniss et ses alliés sont stupéfiés. À propos de ce moment, le réalisateur explique : « Le tsunami se produit au loin et les personnages eux-mêmes ne sont pas touchés. Il est vraiment spectaculaire, gros et bruyant, et il traverse la jungle, puis la lagune pour finir sa course dans la Corne d'abondance. C'est un moment clé qui aide les personnages à comprendre ce qui se passe dans l'arène. »

    Un des derniers moments terrifiants dans l'arène

> « Les geais bavards sont une invention du Capitole.
> C'est une menace psychologique.
> Le Capitole s'en prend à ton esprit et te torture. »
> — Francis Lawrence

est la découverte dans la jungle d'une bande de geais bavards qui imitent les voix des proches que les tributs ont laissés chez eux. « La scène des geais bavards est différente des autres, car elle est moins viscérale, dit Francis Lawrence. Les autres scènes sont tellement remplies d'action; par exemple le brouillard te brûle la peau et il dévale la colline et tu dois courir si tu tiens à la vie. Ou l'attaque des singes qui sont capables de te tuer. Les geais bavards sont une invention du Capitole.

C'est une menace psychologique. Le Capitole s'en prend à ton esprit et te torture. Nous devions rendre cette scène émotionnellement insupportable pour les personnages. »

Au bout de six semaines environ, les acteurs et l'équipe de tournage ont quitté les tropiques pour rentrer à la maison. Francis Lawrence et son équipe, eux, ont entrepris le travail de postproduction, pour peaufiner chaque image de leur film.

# LA VIE SUR LE PLATEAU

La première fois que les acteurs se sont réunis pour tourner à Atlanta, il s'agissait de retrouvailles pour bon nombre d'entre eux. « Quand je suis arrivée, dit Willow Shields, qui joue Primrose Everdeen, les gens n'en revenaient pas que j'aie autant grandi. Ils ne me reconnaissaient même pas! »

Presque immédiatement, une vraie camaraderie s'est installée et des liens se sont tissés entre les comédiens. Bon nombre d'entre eux logeaient au même hôtel à Atlanta, ce qui leur a facilité la tâche pour apprendre à se connaître ou partager un repas. Certaines des vedettes ont pu se détendre en visitant l'aquarium de Géorgie. Et, une fois encore, Josh Hutcherson s'est assuré qu'il y ait un panier de basket-ball à la disposition des acteurs lorsqu'ils ne tournaient pas.

Tout comme dans le film, les tributs avaient tendance à rester ensemble. Ils se connaissaient depuis l'entraînement, et la plupart des scènes où ils jouent étaient tournées au même moment — ce qui veut dire qu'ils prenaient aussi leurs pauses en même temps. Ils ont profité de leur séjour à Atlanta pour aller voir la première de *TOTEM* du Cirque du Soleil.

Le tournage était bien différent de celui de *Hunger Games*. Alors que dans le premier film, il y avait une grande proportion d'acteurs adolescents, là, les tributs étaient des gens de tous âges. Cette diversité présentait des avantages. Par exemple, les acteurs chevronnés avaient davantage la possibilité d'agir en tant que mentors auprès des plus jeunes, qui ont nsi bénéficié de leur expérience.

Sam Claflin (Finnick) et Lynn Cohen (Mags) nt unis par un lien particulièrement fort qui est e de la relation entre leurs personnages. Dans istoire, Mags se porte volontaire pour les Jeux e l'Expiation pour remplacer Annie, le véritable nour de Finnick, qui a été choisie. Mags connaît sez bien Finnick pour comprendre qu'Annie est ut pour lui. Sa propre vie lui importe peu, mais veut qu'Annie survive à tout prix. Mags va aux ux sans grand espoir de retour, mais Finnick fait ut ce qu'il peut pour la remercier de son noble este en cherchant à la protéger dans l'arène. J'ai presque l'impression d'avoir cette même lation avec Lynn maintenant. Je ferais n'importe oi pour elle. Même la porter jusqu'en haut d'une ontagne », affirme Sam Claflin.

Bien des acteurs étaient en admiration evant Philip Seymour Hoffman quand il est arrivé r le plateau. Josh Hutcherson déclare : « Juste en regardant travailler, on a l'impression d'assister à n cours de théâtre. »

Le fait de tourner à Atlanta en novembre, après le passage de l'ouragan Sandy, qui avait balayé entièrement la côte est, a créé certaines situations inattendues. Atlanta a été épargnée, mais les températures ont chuté. Pour se tenir au chaud, les acteurs gardaient sur eux d'épais manteaux jusqu'au tout dernier moment, et des radiateurs électriques étaient disposés un peu partout sur le plateau. Des piscines gonflables remplies d'eau chaude attendaient les acteurs lorsqu'ils émergeaient du tournage des scènes de la Corne d'abondance.

L'expérience à Hawaï fut complètement différente. Alors qu'à Atlanta, les tournages de nuit pour la fête du Capitole se poursuivaient jusqu'à l'aube, à Hawaï, les scènes de tournage se terminaient lorsque le soleil se couchait, à sept heures. Là-bas, le tournage se faisait dans un lieu plus éloigné dans la jungle. L'équipe vivait dans des roulottes, on tournait quand c'était possible et on prenait beaucoup de pauses pour attendre la fin des averses.

Peu importe le lieu du tournage, tant les acteurs que les membres de l'équipe technique sentaient qu'ils avaient l'appui du réalisateur Francis Lawrence. Le producteur Jon Kilik souligne : « Il a une imagination fertile, il choisit bien les plans, il a une excellente vision et il est super avec les acteurs ».

L'auteure Suzanne Collins l'a observé au travail et a adoré ce qu'elle a vu. « Francis est un réalisateur formidable! s'exclame-t-elle. Au-delà de son talent pour nous montrer le monde de Panem, donner vie à la rébellion naissante ou nous amener dans une arène déconcertante et sinistre, pour moi, sa plus grande réalisation est l'intensité avec laquelle il porte le cheminement émotionnel et dramatique de Katniss à l'écran. Grâce à toute la richesse visuelle et l'action dynamique, c'est son aventure à elle qui fait vibrer. »

Sous la direction de Francis Lawrence, les longs jours de tournage sont passés à la vitesse de l'éclair.

## L'UTILISATION DE LA TECHNOLOGIE IMAX

Le réalisateur Francis Lawrence avait décidé de montrer la partie du film qui se passe dans l'arène — du moment où Katniss monte dans l'ascenseur jusqu'à la fin des Jeux — en IMAX. C'est pourquoi cette partie a presque entièrement été filmée sur pellicule IMAX. Le réalisateur voulait saisir l'expérience de l'arène, quand les sens sont exacerbés et la peur est constante. Katniss arrive par l'ascenseur et les portes s'ouvrent sur un monde où tout est plus clair et détaillé — c'est comme si Dorothy entrait dans un pays d'Oz monstrueux.

Pour filmer cette prise de Katniss (Jennifer Lawrence) dans l'arène, on a utilisé des caméras IMAX portatives et sur trépieds.

Comme le dit la productrice Nina Jacobson : « L'imagination de Suzanne Collins a besoin d'une grande toile pour s'exprimer, et nous avons utilisé la plus grande toile qui existe dans une salle de cinéma. Le médium et le message se marient particulièrement bien. »

IMAX est l'abréviation d'Image Maximum. La plupart des films sont tournés avec une pellicule de 35 mm. L'image est d'abord comprimée dans une petite image carrée, puis agrandie au moyen d'un projecteur de films pour correspondre à l'écran de cinéma. La taille de l'image est beaucoup plus grande avec la pellicule IMAX, soit 70 mm de hauteur, ce qui permet de doubler la qualité de la résolution. Dans un film IMAX, la taille de la pellicule permet d'augmenter la clarté de façon exponentielle par rapport à un film tourné avec une pellicule 35 mm. « On voit chaque détail, mentionne le producteur Jon Kilik, et dans une salle de cinéma IMAX, on le voit sur un écran qui fait 100 pieds de haut. »

Ce format permet d'obtenir des images très larges ainsi que des plans extrêmement rapprochés. Contrairement à un film ordinaire, qui utilise une image carrée, la pellicule IMAX est plus verticale. C'est donc le format parfait pour faire ressortir la hauteur vertigineuse des arbres qui entourent Katniss dans la forêt tropicale.

Dans *Hunger Games : L'embrasement*, le format de la pellicule s'agrandit juste au moment où les personnages entrent dans l'arène. Le spectateur a droit à plus de détails et participe presque à leur expérience. Aussi, comme le note la productrice Nina Jacobson, le format IMAX convient mieux au tournage des scènes d'action de l'arène qu'à celui des scènes de la première moitié du film, où l'accent est surtout mis sur les personnages.

La pellicule IMAX exige un décor impressionnant et riche en détail. Le technicien IMAX Doug Lavender fournit des explications : « Normalement, il faudrait créer tout un tas de décors de plateau pour rendre le tout avec suffisamment de détails et de couleurs et produire des textures assez intéressantes pour le format IMAX. La forêt tropicale

LES SPÉCIALISTES DE DONNÉES D'EFFETS VISUELS PRENNENT DES RÉFÉRENCES POUR L'ÉCLAIRAGE AVANT DE FILMER UNE SCÈNE AVEC UNE CAMÉRA IMAX FIXÉE À UN CÂBLE.

à Hawaï, à quelques minutes seulement d'une grande ville, est préfabriquée par la nature. C'est fantastique parce qu'elle regorge naturellement de détails et de vie. »

L'équipe de tournage s'est servie de caméras mobiles pour faire voler les caméras IMAX à travers la forêt et fixer sur la pellicule les scènes dramatiques de combat. Elle a aussi utilisé des grues et des caméras à l'épaule. « Très peu de réalisateurs ont utilisé des caméras IMAX à l'épaule », note Doug Lavender.

Francis Lawrence souligne que, en tant que réalisateur, il pense toujours à l'expérience que le public aura dans la salle de cinéma. « Plus on peut se plonger dans l'histoire, mieux c'est, dit-il. Pouvoir utiliser la technologie IMAX pour présenter ce monde en plus grand, au moment où les personnages foncent dans un nouvel univers, je trouve ça vraiment formidable. »

« Pouvoir utiliser la technologie IMAX pour présenter ce monde en plus grand [...] je trouve ça vraiment formidable. »
— Francis Lawrence

# PARTIE 5

# CRÉER DES COSTUMES... ET DES VISAGES

# L'ASPECT VISUEL DE HUNGER GAMES : L'EMBRASEMENT

Francis Lawrence connaissait déjà la créatrice de costumes Trish Summerville, car ils avaient collaboré pour des vidéoclips. Cette dernière venait de recevoir de nombreuses louanges pour ses costumes de *Millénium : les hommes qui n'aimaient pas les femmes*. Dès qu'elle s'est jointe à l'équipe de *Hunger Games : L'embrasement*, elle a rencontré Francis Lawrence pour discuter de la création des costumes.

« Francis et moi avons parlé de rendre le look un peu plus sombre, un peu plus chic, un peu plus avant-gardiste, se rappelle Trish Summerville. Pas comique, mais en gardant l'allure étrange et perverse du Capitole. » Pour les scènes où on voit la vie dans le Capitole, la costumière jugeait qu'il était important de montrer de nombreux styles. « La mode change rapidement au Capitole, et je me suis rendu compte qu'il fallait avoir beaucoup de diversité parmi les gens. Je ne voulais pas que tout le monde ait l'air d'avoir magasiné au même endroit, mais plutôt montrer différentes tendances et sous-cultures. » Et même les personnages qui ne vivent pas au Capitole

seraient influencés par ces goûts, puisque les vêtements des vainqueurs viendraient du Capitole.

En définitive, Trish Summerville a combiné ses propres créations et le travail d'autres créateurs pour créer des styles uniques pour tous les personnages du film. Ve Neill, la maquilleuse du premier film et Linda Flowers, la styliste-coiffeuse, ont mis la touche finale aux costumes grâce à leur propre talent artistique. Comme le dit Ve Neill : « Ce film, c'est un vrai rêve pour une maquilleuse!

LES HABITANTS DU CAPITOLE, HABILLÉS À LA DERNIÈRE MODE DE PANEM, SE RETROUVENT À LA FÊTE DU PRÉSIDENT. À GAUCHE : CAESAR FLICKERMAN (STANLEY TUCCI) INTERVIEWE BEETEE (JEFFREY WRIGHT).

Je veux dire, on a tout ici, du maquillage beauté haute couture au maquillage d'effets spéciaux. Nous avons du sang, nous avons des fantasmes, nous avons Effie, qui est un monde entier à elle seule. Nous avons des personnages de tous les districts [...] je pourrais continuer longtemps. »

Les créatrices ont puisé leur inspiration dans des défilés, des magazines, des sites Web, des films et dans le livre *Hunger Games : L'embrasement*. Lentement mais sûrement, de nouveaux styles ont commencé à apparaître.

> « Francis et moi avons parlé de rendre le look un peu plus sombre, un peu plus chic, un peu plus avant-gardiste. »
> — Trish Summerville

# KATNISS EVERDEEN

Dans *Hunger Games : L'embrasement*, Katniss a assez de jugeote pour comprendre que son style signifie quelque chose, qu'elle peut communiquer grâce à ses vêtements. Le défi de Trish Summerville a consisté à montrer tout de suite que les Jeux ont changé Katniss, qu'elle n'est pas la fille innocente qu'elle était jadis, mais que fondamentalement, elle est restée la même.

Selon Trish Summerville, Katniss prend soin d'adapter son style à son environnement. Lorsqu'elle est à la maison, par exemple, elle s'habille plus ou moins toujours de la même façon. « Nous voulions reprendre sa veste de chasse qui est devenue un vêtement emblématique, dit Trish Summerville. Nous l'avons un peu vieillie, parce que six mois s'étaient écoulés. Mais on voulait faire revivre la Katniss originale, même si elle avait gagné les Jeux et qu'elle avait de l'argent et une maison dans le Village des vainqueurs. Elle ne s'habillerait jamais trop chic devant les gens de son district. »

Lorsque Katniss entame la Tournée de la victoire, cependant, elle porte tout à coup des vêtements un peu plus à la mode. Elle permet au Capitole de décider de ses vêtements, sans jamais tomber dans l'excentricité complète. Trish Summerville le résume ainsi : « Nous voyons Katniss passer du district Douze, où elle est dans son élément, au Capitole, où elle ne l'est pas. Elle entreprend une aventure, et ses vêtements sont aussi révélateurs de cette aventure. »

Durant le séjour de Katniss au Capitole, certains thèmes sont récurrents dans ses vêtements et ses coiffures. Trish Summerville incorpore du feu et des plumes dans beaucoup de ses costumes, par exemple, puisque Katniss est à la fois la fille du feu et le geai moqueur. « Pour sa robe de soirée, toute en teintes de rouge et de noir, nous nous sommes servis de flammes et de plumes, explique la

PENDANT LA TOURNÉE DE LA VICTOIRE, LES TENUES DES VAINQUEURS DU DISTRICT DOUZE, PEETA (JOSH HUTCHERSON) ET KATNISS (JENNIFER LAWRENCE) SONT À LA MODE SANS ÊTRE EXCENTRIQUES.

costumière. Et pour la robe de geai moqueur, j'ai trouvé des images d'un certain type de paon aux plumes bleues iridescentes. Avec l'aide d'un de nos artistes dessinateurs, j'ai compilé toutes ces photos pour créer un motif que j'ai intégré aux vêtements. »

Les looks que Trish Summerville a imaginés pour Katniss ont vraiment aidé Jennifer Lawrence à entrer dans son personnage chaque jour. « Le costume est très important pour un acteur, explique-t-elle. Je comprends tout à fait comment on se sent lorsqu'on porte un vêtement sans savoir à quoi on ressemble. Le corps n'est pas habitué à cette sensation. Certains des vêtements du Capitole sont si incongrus qu'ils placent Katniss dans cette situation désagréable; ils lui donnent l'impression de ne pas être maître de son propre corps. »

La tresse de Katniss demeure son signe distinctif, dit la styliste-coiffeuse Linda Flowers, mais Katniss la

> « Le costume est très important pour un acteur... Certains des vêtements du Capitole sont si incongrus qu'ils placent Katniss dans cette situation désagréable; ils lui donnent l'impression de ne pas être maître de son propre corps. »
>
> — Jennifer Lawrence

# GALE HAWTHORNE

La créatrice de costumes Trish Summerville déclare :
« Dans les districts, la mode n'a pas vraiment d'importance.
Je voulais que Gale porte des vêtements aux couleurs passées.
Quand il est avec Katniss, il se soucie un peu plus de son
apparence et essaie de faire bonne impression. Je voulais
lui donner un air un peu plus doux dans ces scènes. Pour les
scènes de la mine de charbon, cependant, j'ai essayé de m'en
tenir au réalisme. »

porte différemment dans *Hunger Games : L'embrasement*.
« Sa tresse, c'est pour la chasse, mais on la voit s'en
éloigner un petit peu ici pour adopter d'autres types de
nattes, comme la tresse à quatre mèches ou la queue de
poisson. Il y a des tresses un peu partout. Pour Katniss,
continuer à porter des tresses c'est une façon de défier
le Capitole. »

De la même façon, son maquillage évolue. Dans
le premier film, Katniss est à peine maquillée, mais
maintenant, elle est plus mature. « Il y a quelques
scènes où elle est dans son élément dans le district
Douze; on peut voir une fille saine, simple et
innocente, souligne la maquilleuse Ve Neill. Mais,
la plupart du temps, elle porte plus de maquillage et
son look est très différent, parce qu'elle passe plus de
temps devant les caméras du Capitole. » Lorsqu'elle
assiste à la fête du Capitole, son maquillage est osé et
dominant, dans l'esprit de la robe et du rôle qu'elle
joue : une vainqueure retournant dans l'arène.

> « Tu sais que tu m'impressionnes
> dans cette tenue.
> Où sont passées tes robes de
> petite fille? » s'enquiert Finnick.
>
> « J'ai grandi », dis-je.
> — Hunger Games : L'embrasement

LA ROBE SOMBRE DE KATNISS
(JENNIFER LAWRENCE) POUR LA
PARADE ATTIRE L'ATTENTION ET A ÉTÉ
CONÇUE PAR CINNA (LENNY KRAVITZ).

# LA ROBE DE MARIÉE DE KATNISS

Trish Summerville sait que la robe de mariée de Katniss doit être magnifique et unique en son genre. Elle cherche une inspiration sur Internet lorsqu'elle tombe sur le travail du créateur Tex Saverio. Il est établi en Indonésie, mais sa réputation ne cesse de croître aux États-Unis. Lady Gaga a récemment fait la une de *Harper's Bazaar* dans une de ses robes et portait une autre de ses créations avant-gardistes pendant sa tournée mondiale Born This Way. Kim Kardashian portait aussi une création de sa collection La Glacon pour une séance photo de haute couture dans le magazine *Elle*.

Trish Summerville communique une première fois avec Tex Saverio par Skype, et « il a fait littéralement des dessins sur-le-champ », commente-t-elle. Au début, une robe noire de sa création pique la curiosité de Trish Summerville, mais, lorsqu'elle voit ses robes de mariée, elle sait immédiatement qu'elle a trouvé un créateur pour Katniss.

Les robes proviennent d'une collection que Tex Saverio a appelée La Glacon (le glaçon).

« Tout comme un glaçon est à la fois fragile et solide, explique-t-il, telle est la femme qui portera les vêtements de cette collection. Katniss, aussi, incarne ces extrêmes. Forte et brave pour remplacer sa sœur, mais fragile devant le Capitole. »

La partie supérieure de la robe, faite de métal, donne l'effet de grillage que Trish Summerville adore! « Mais je voulais que le bas de la robe soit différent, se rappelle-t-elle, parce que Katniss doit tournoyer. Il fallait que le bas de la robe ait un peu de hauteur, un peu d'air. Et je voulais qu'il y ait quelques plumes dessus. Pas de vraies plumes, mais ces découpes au laser qui ressemblent presque à des plumes de paon. Donc je pense qu'il a fini par combiner trois robes ensemble pour créer notre robe de mariée. »

Tex Saverio et son frère ont pris

CI-DESSUS : DEUX ROBES DE LA COLLECTION LA GLACON, CONÇUES PAR TEX SAVERIO, QUI ONT INSPIRÉ LA ROBE DE MARIÉE DE KATNISS. À DROITE : KATNISS (JENNIFER LAWRENCE) POSE DANS SA ROBE DE MARIÉE PENDANT L'INTERVIEW AVEC CAESAR FLICKERMAN (STANLEY TUCCI).

l'avion pour un des premiers habillages avec Jennifer Lawrence, et Trish Summerville a été étonnée de voir arriver la robe dans une caisse gigantesque. « Elle était littéralement installée sur un mannequin. Nous avons dû la mettre dans un camion pour la transporter du point A au point B. Quand Jen a fait la séance photo, nous l'avons mise sur un petit chariot, dans la

obe, puis nous l'avons tirée sur la plate-forme
t jusque dans un ascenseur. » La jupe, qui fait
resque deux mètres de circonférence, n'est
as facile à manœuvrer, ni simple à porter,
nais elle est saisissante et vraiment parfaite.

Linda Flowers et Ve Neill ont mis la
ouche finale au look de Katniss pour la scène.
inda Flowers s'en souvient : « Quand j'ai

vu la robe de mariée, j'ai dû m'arrêter une
minute et penser calmement à ce que j'allais
faire. Cette robe était absolument magnifique.
Sa conception était si élaborée que je savais
que je ne pouvais même pas essayer de lui
faire concurrence. Une coiffure simple était le
complément parfait pour cette robe. »

Ve Neill ajoute : « J'ai opté pour un

splendide maquillage argenté et brillant, et j'ai
découpé quelques cils noirs en plume. J'ai mis
une plume noire de chaque côté, à l'extrémité
de la rangée de cils, ce qui lui fait presque les
yeux en amande. Quand la robe a brûlé, ces
plumes étaient encore en place. »

## PEETA MELLARK

Comme Katniss, Peeta a bien changé depuis qu'il est revenu des Jeux. Lui aussi a été traumatisé par son passage dans l'arène, et il tente d'assimiler tout ce qui lui est arrivé là-bas. « Il est beaucoup plus masculin et mature, fait observer Trish Summerville. Il a vécu beaucoup de choses, il a beaucoup grandi. Il y a eu une transition par rapport au dernier film, et j'ai voulu trouver une façon de montrer cela avec ses vêtements. »

Quand Peeta va au Capitole, il porte un complet et non une simple chemise. Sa coupe de cheveux paraît plus appropriée à un homme qu'à un garçon. Trish Summerville lui fait porter un pantalon de cuir, aussi, pour que Peeta montre qu'il a rompu avec son passé. La costumière sourit et déclare : « Il a un look d'enfer en

En tant que vainqueurs, Haymitch Abernathy (Woody Harrelson) et Peeta Mellark (Josh Hutcherson) portent tous les deux des vêtements fournis par le Capitole.

pantalon de cuir. Il en porte un pour la scène avec les chariots, puis un autre pour la scène de la fête. J'ai dit à Josh que ce pantalon serait parfait pour faire de la moto ! »

Tout au long du film, l'amour de Peeta pour Katniss reste constant, et Trish Summerville trouve même une façon de transposer ces sentiments dans sa garde-robe. « Je fais porter beaucoup de vert à Peeta, parce que c'est la couleur préférée de Katniss, mentionne-t-elle. Inconsciemment, il lui fait toujours la cour. » Plus tard, quand Katniss commence à ressentir quelque chose pour lui, elle se met à porter la couleur préférée de Peeta. Le public pourrait ne pas remarquer ces détails au premier coup d'œil, mais ils imprègnent l'histoire.

# CINNA

**M**ême si les créations de Cinna sont à l'avant-scène dans *Hunger Games : L'embrasement*, le personnage en soi est plutôt discret. La créatrice Trish Summerville a voulu respecter cette manière d'être et habiller l'acteur Lenny Kravitz d'une façon cool et naturelle. « Pour quelqu'un du Capitole, il n'est ni excentrique ni exagéré. Il est plutôt comme la plupart des stylistes que je connais... Il doit être en mesure de reculer et de s'effacer. Il ne veut jamais être le centre d'attention. Il est très réservé et très profond, et il a un lien vraiment fort avec ses tributs. J'ai choisi pour lui des tons foncés. Un petit peu de bordeaux, mais beaucoup de noir et quelques gris ainsi que quelques bijoux originaux. »

PEETA (JOSH HUTCHERSON)

## FINNICK ODAIR

Quand Katniss rencontre pour la première fois le vainqueur Finnick Odair dans le roman *Hunger Games : L'embrasement*, il est presque nu. Le cinéaste a dû trouver une façon de saisir la tension qui se dégage de cette scène dans le livre, tout en ménageant la sensibilité de l'acteur.

Trish Summerville se rappelle : « Dans le livre, il est écrit qu'il ne porte qu'un pagne doré, noué sur le devant, mais Sam était un peu nerveux à cette idée. Nous avons donc eu l'idée d'utiliser un genre de filet doré, parce qu'il vient du district de la pêche. Ce pagne est plus du style gladiateur, plus long et enveloppe les reins. Et avec ça, on lui a fait porter des bottes assez imposantes. Ce personnage est très viril, mais il a un côté tendre. C'était très agréable de travailler avec lui, continue la costumière. Pour les premiers essayages, il est arrivé et ne s'est même pas regardé dans le miroir. Si j'aimais son look, il l'aimait aussi. »

Lorsqu'elle travaillait à la conception de son costume pour l'entrevue avec Caesar Flickerman, Trish Summerville avait mentionné que, puisqu'il était du district de la pêche, Finnick porterait un costume fait de poisson. « J'avais commandé plein de peaux de poisson; on peut en commander comme du cuir. Je crois qu'il a pensé que j'étais un peu fêlée. Mais quand nous avons terminé d'assembler le costume, Sam s'est regardé dans le miroir et a dit : "J'adore ma jupe en poisson!" Cela m'a fait plaisir parce que ce n'était vraiment pas évident de convaincre ces gars de porter des jupes. »

Pour son rôle de Finnick, Sam Claflin ne porte presque aucun maquillage. Ve Neill explique : « Tout

ce que j'ai eu à faire, c'était de lui donner un teint bronzé et une mine resplendissante, et voilà nous avions notre Finnick! » Comme dans le livre il a les cheveux couleur de cuivre, il a fallu teindre les cheveux de Sam Claflin pour leur donner des reflets roux. « Je lui ai donné un air ébouriffé, un peu brouillon, qui le distingue des gens du Capitole qui, eux, sont toujours tirés à quatre épingles », ajoute Linda Flowers.

# EFFIE TRINKET

Comme dans le premier film, les vêtements d'Effie Trinket reflètent tous les excès du Capitole. Le personnage d'Effie évolue tout au long de *Hunger Games : L'embrasement*. Elle qui était si fière de Katniss et de Peeta est maintenant désemparée de les voir retourner dans l'arène. Ses vêtements, toutefois, ne montrent pas beaucoup son côté sensible. Du début à la fin, elle pousse la mode à l'extrême. Au cours du film, Effie affichera sept tenues outrageusement uniques.

Pour créer le look d'Effie, Trish Summerville s'est tournée vers des créateurs de haute couture reconnus pour être décadents et spectaculaires. La costumière explique : « Effie a ce côté très amusant et pétillant, mais il y a aussi cette partie d'elle qui souffre pour épouser la

> « Effie a ce côté très amusant et pétillant, mais il y a aussi cette partie d'elle qui souffre pour épouser la mode du Capitole parce que c'est comme ça qu'elle réussit à s'y intégrer. Elle est limitée et pas vraiment libre d'être elle-même. »
> — Trish Summerville

mode du Capitole parce que c'est comme ça qu'elle réussit à s'y intégrer. Elle est limitée et pas vraiment libre d'être elle-même. Mes créations pour Effie reflètent les deux côtés de son personnage. Il y a la fausse fourrure bleu cobalt avec les manches démesurées... C'est le côté comique. Mais les vêtements d'Effie sont aussi vraiment inconfortables, ce qui révèle l'autre côté de son personnage, la partie qui ne pourra jamais être à l'aise au Capitole. »

« Effie est mon projet fétiche, admet Linda Flowers. C'est un de mes personnages favoris de tous les temps. Effie est comme la Zsa Zsa [Gabor] du Capitole. Chez elle, tout est excessif, depuis son maquillage jusqu'à ses ongles, ses chaussures, ses cheveux ou ses cils. Tout

est porté à l'extrême. Quand on fait un amalgame, le résultat est formidable. Elle est outrancière, mais elle a bon cœur, vous savez? Elle s'est seulement fait prendre dans le tourbillon du Capitole. » Elizabeth Banks ajoute : « Trish Summerville et son équipe sont prodigieux. Ils ont utilisé leurs propres créations et se sont aussi tournés vers certains des meilleurs créateurs du monde pour avoir leur point de vue sur ce qui est futuriste. Effie est plus grande et meilleure que jamais. Nous explorons vraiment la flamboyance et le grandiose de la haute couture au Capitole. »

Trish Summerville indique qu'il n'aurait pas été possible de créer le look d'Effie sans la patience et la

EFFIE TRINKET ARBORE L'UNE DE SES NOMBREUSES TENUES.

bonne humeur de l'actrice Elizabeth Banks. « Elle est géniale! Elle nous laisse la torturer, elle se sacrifie pour la mode, tout comme Effie le ferait, je pense », fait observer Trish Summerville. Linda Flowers et Ve Neill ont passé de longues heures avec Elizabeth Banks, essayant différents styles pour que le look d'Effie soit vraiment parfait. Par exemple, Linda Flowers savait qu'elle devait créer une perruque dorée pour Effie, mais elle ne savait pas que ce serait si difficile. « L'or est une couleur très difficile à obtenir en coiffure, parce que ça finit par avoir l'air blond, et je savais que ça devait ressembler à de l'or. J'ai passé deux jours à essayer différents produits pour obtenir la bonne couleur. Elizabeth est une actrice tellement généreuse... Elle prenait place dans le fauteuil et nous laissait jouer. »

# LES MUETS

La mode du Capitole change constamment, même pour les Muets — des gens que le Capitole a punis en leur coupant la langue et qui sont forcés de travailler comme domestiques. La maquilleuse Ve Neill explique : « Ils portent de superbes robes aux couleurs pâles, et des cages autour de leur visage. Je les ai donc dessinés pour qu'ils aient le visage complètement blanc, avec un maquillage cadavérique, en quelque sorte. Ils ont un air égaré et mystérieux. »

L'ÉQUIPE QUI S'OCCUPE
DE KATNISS ET PEETA :
CINNA (LENNY KRAVITZ),
HAYMITCH (WOODY
HARRELSON) ET EFFIE
(ELIZABETH BANKS)

## LES DISTRICTS

Même si Katniss et Peeta voient peu de choses de chaque district pendant la Tournée de la victoire, Trish Summerville et son équipe créent un style particulier pour chaque région. Les districts n'ont presque aucune communication entre eux, et chacun joue un rôle complètement différent pour le Capitole, donc des modes bien distinctes se sont développées dans chaque endroit.

« Puisque nous n'avons jamais vu le district du textile dans le premier film, dit la costumière, j'ai eu le loisir de le créer moi-même. Les vêtements de ce district sont en général de couleurs plus vives que ceux des autres districts. Ce n'est pas exactement un style ethnique, mais

# HAYMITCH ABERNATHY

Trish Summerville a eu du plaisir à trouver les costumes de Haymitch. « C'est un vainqueur, c'est donc le Capitole qui lui fournit ses vêtements; ils sont chic, mais simples. Nous avons utilisé des tissus texturés pour créer des vêtements à la fois modernes et confortables. Mais il a toujours l'air un peu fripé, ou sinon c'est son col qui n'est pas bien boutonné. Il veut bien porter ces vêtements, mais il le fait à sa façon. »

de nombreuses couleurs et textures s'entrechoquent. Les tissages et les fils sont différents. »

Pour le district de la pêche — le district Quatre, celui de Finnick —, elle a opté pour des vêtements légers et aériens, dans une palette bleu vert qui contraste avec la palette plus foncée du district du charbon, par exemple.

# LA FÊTE DU PRÉSIDENT

Comme la fête du président Snow est, visuellement, un des moments forts du film, les équipes chargées des costumes, des coiffures et des maquillages n'ont pas ménagé leurs efforts pour préparer la célébration. En plus d'habiller les acteurs principaux, elles ont créé des looks uniques pour quelque 300 figurants. La planification et la production des scènes de la fête ont exigé une coopération et une coordination extraordinaires entre les différentes équipes de conception.

Le réalisateur Francis Lawrence déclare : « Nous avons essayé d'imaginer quelles personnes seraient au Capitole et pourquoi elles seraient invitées à cette fête. On y retrouve des gens qui font partie du cabinet de Snow, des artistes, des banquiers et des techniciens... alors ils auraient tous une allure différente. Quand on prend 500 personnes et qu'on les répartit dans ces catégories, on peut adopter une approche différente pour chacune d'entre elles. Dans chaque catégorie, il y a une gamme variée de looks et chaque personne a un style particulier. Nous devions déterminer ce qui pouvait les unir en termes de culture populaire au Capitole et nous avons choisi une

> « Nous avons essayé d'imaginer quelles personnes seraient au Capitole et pourquoi elles seraient invitées à cette fête. Il y a une gamme variée de looks et chaque personne a un style particulier. »
> — Francis Lawrence

palette de couleurs bien précise : des nuances de rose et de bleu ainsi que du bordeaux et du fuchsia avec des coiffures géométriques ».

Des figurants ont été choisis à l'avance, et des costumes leur ont été attribués au préalable, parce que, le jour du tournage, il n'allait pas y avoir suffisamment de temps pour distribuer des centaines de costumes. « À un

LE PRÉSIDENT SNOW (DONALD SUTHERLAND) APPARAÎT AU BALCON, UNE ROSE BLANCHE CARACTÉRISTIQUE À LA BOUTONNIÈRE.

EFFIE TRINKET (ELIZABETH BANKS), EN TENUE DE SOIRÉE POUR LA FÊTE DE L'ANNÉE

certain moment, nous faisions 106 habillages par jour, se rappelle Trish Summerville. Je sortais des vêtements après avoir regardé les portraits et je préparais toutes les options. Je travaillais avec six habilleurs et tout un atelier de confection. Puis, nous prenions les tenues en photo et nous faisions des schémas pour répartir les figurants à la fête et établir leurs déplacements. » Le jour du tournage, les photos des tenues des figurants seraient utilisées afin

de reproduire facilement les looks. Elles allaient aussi être envoyées aux équipes de coiffure et de maquillage.

Une fois les costumes connus, Linda Flowers et Ve Neill ont trouvé les coiffures et les maquillages qui les complétaient. Linda Flowers explique : « Quand on a 300 personnes, on doit avoir 300 postiches, ou 300 plans d'action, qu'il s'agisse de précoupe ou de précoloration ou d'une certaine forme d'art capillaire. Il a fallu trois

# LE PRÉSIDENT SNOW

Trish Summerville a décidé de donner au président Snow un aspect militaire, tout en gardant à l'esprit qu'il s'agissait de Panem : son look se devait d'être luxueux et à la mode. Elle explique : « J'ai essayé de le rendre un peu plus sombre, un peu plus distant de la mode, plus tyrannique et maître de lui cette fois-ci, maintenant qu'il commence à y avoir rébellion. On a vraiment apprécié qu'il nous laisse raccourcir ses cheveux, faire ressortir sa moustache un peu plus, lui donner des couleurs plus sombres et plus saturées. » Comme il y a des scènes d'hiver dans le film, Trish Summerville a pu opposer le look militaire aux fausses fourrures et à des tissus plus décadents.

semaines pour préparer toutes les coiffures. »

Même avec une planification soignée, le jour du tournage s'est avéré être une entreprise titanesque. Linda Flowers disposait de 40 stylistes-coiffeurs et dix stagiaires pour créer les looks qu'elle avait imaginés. Ve Neill et la maquilleuse principale Nikoletta Skarlatos étaient elles-mêmes entourées de 25 maquilleurs de Los Angeles et de 20 autres d'Atlanta. « Nous avons mis sur pied avec soin une équipe extraordinaire, s'exclame Nicoletta Skarlatos. Et quand on a le meilleur talent du monde dans une seule pièce, il ne peut se passer que des choses formidables. On n'a qu'à les laisser travailler. »

Dans la Swan House, on a monté une salle de bal gigantesque comptant quelque 90 stations de maquillage et de coiffure. « Nous avons dessiné beaucoup de motifs géométriques fabuleux sur le visage de beaucoup, beaucoup de monde. Nous avons fait un excellent travail à main levée avec de magnifiques pochoirs », se rappelle Ve Neill. Nicoletta Skarlatos ajoute : « Certains avaient des yeux très intenses dans un visage très pâle, ou des lèvres qui attiraient l'attention et des yeux qui passaient inaperçus. Ou juste quelque chose de vraiment asymétrique. Notre objectif était de créer un look unique pour chaque personne. »

Mis ensemble, tous ces styles ont créé une scène de fête fastueuse, à la fois spectaculaire et troublante.

LA FOULE DU CAPITOLE APPRÉCIE
LE SPECTACLE DE LA PARADE.

## LA CÉRÉMONIE D'OUVERTURE

La cérémonie d'ouverture est inspirée en partie de la mode des districts, mais elle a présenté de nouveaux défis. Trish Summerville explique : « Cette séquence est délicate parce qu'on voulait faire des vêtements qui se rapportent au district d'où ils viennent, mais ce ne sont pas tous les districts qui ont des thèmes qui s'y prêtent. On ne veut pas qu'elle soit trop sérieuse parce qu'il y a un peu d'ironie dans ce défilé, mais il peut être difficile de trouver des idées brillantes. »

Pour certains districts, il s'agit de trouver des matériaux propres à la région et de s'en inspirer. Pour d'autres districts, les costumes des vainqueurs reflètent l'ambiance ou l'attitude de l'endroit.

Par exemple, Brutus et Enobaria, vainqueurs du district Deux, sont vêtus de façon à montrer la richesse et la puissance intimidantes de leur district. « Leurs costumes leur donnent un air dur et austère, explique Trish Summerville. Ils ressemblent tous deux à des gladiateurs. »

Les vainqueurs du district Quatre, district de la pêche, ont du matériel qui ressemble à des filets

dans leurs cheveux. Cela rappelle les filets de pêche communément utilisés chez eux.

Mais la costumière adopte une approche légèrement différente avec les vainqueurs du district Six, celui des transports. Leurs costumes n'ont aucun rapport avec le transport, mais rappellent la dépendance des personnages à un dangereux antidouleur, la morphine. Trish

Summerville dit : « Je les ai imaginés vraiment foncés, vraiment gothiques, avec des motifs de camouflage sur leurs vêtements de cuir que j'ai ensuite adoucis. » Comme les costumes des gladiateurs, les costumes des accros à la morphine donnent un indice du rôle qu'ils vont jouer dans l'arène.

# JOHANNA MASON

La maquilleuse Nikoletta Skarlatos avait déjà travaillé sur deux films avec Jena Malone, l'actrice qui joue Johanna Mason; elle n'a donc eu aucun mal à créer des liens avec elle. Elle avait hâte de définir l'apparence extérieure d'un personnage féroce et intrépide qui sent qu'il n'a rien à perdre. Nikoletta Skarlatos sait que les tributs du district de l'industrie forestière de Johanna doivent porter des costumes qui évoquent la forêt. Avec l'aide de Trish Summerville, elle a poussé ce look un peu plus loin. « Trish a conçu une tenue stupéfiante à partir de vrai liège, et j'ai utilisé le maquillage pour créer ces branches d'arbre sortant de ses yeux pour la scène du chariot, un détail qui donne froid dans le dos. Tout son maquillage lui donne un air intrépide. »

CINNA (LENNY KRAVITZ)
PASSE UN DERNIER
MOMENT AVEC KATNISS
(JENNIFER LAWRENCE)
AVANT QU'ELLE PÉNÈTRE
DANS L'ARÈNE.

## LES UNIFORMES POUR LES JEUX

Comme ils les portent tout au long des Jeux de l'Expiation, les costumes des vainqueurs sont des éléments importants des Jeux. Ils doivent être assez seyants pour susciter l'intérêt des spectateurs du Capitole, tout en demeurant assez pratiques pour que les tributs puissent les porter dans toutes les situations que les Juges créeront pour eux.

Trish Summerville se rappelle : « Dans le livre, il est écrit qu'ils portent des combinaisons en voilage bleu, mais on n'a pas pu le faire dans le film, ça ne fonctionnait pas. Les acteurs s'inquiétaient de ce qu'ils porteraient sous leur costume. Nous avons donc eu une longue discussion avec Francis et Nina, puis ils ont discuté avec Suzanne de ce que nous pouvions espérer faire. Nous avions besoin d'un vêtement qui ne gênerait pas les tributs pour faire des cascades; un vêtement très confortable et seyant pour divers types de silhouettes. Avec un illustrateur, j'ai commencé par faire des croquis de costumes qui pourraient être portés dans l'eau et sur terre. Nous devions aussi imaginer comment les fabriquer pour qu'ils gardent les acteurs au chaud quand ils sont sous l'eau. »

ENOBARIA (META GOLDING) ET BRUTUS (BRUNO GUNN) FONCENT À TRAVERS LA JUNGLE.

KATNISS (JENNIFER LAWRENCE)
AIDE WIRESS (AMANDA PLUMMER) À
RÉCUPÉRER APRÈS LA PLUIE DE SANG.

Au final, Trish Summerville et son équipe ont opté pour une tenue noire, comportant certains éléments gris et métalliques qui ressortiront dans les scènes de la jungle. « Sur le devant et les côtés du costume, nous avons fait des peintures en trois dimensions rappelant un treillis pour lui donner de la structure, explique-t-elle. Notre but était de concevoir une tenue qui avantagerait les comédiens, qui serait fonctionnelle et qui passerait bien à l'écran. » Les personnages principaux ont d'ailleurs plusieurs variantes du costume afin de permettre d'exécuter différentes cascades.

> « Nous avions besoin d'un vêtement qui ne gênerait pas les tributs pour faire des cascades; un vêtement très confortable et seyant pour divers types de silhouettes [...] des costumes qui pourraient être portés dans l'eau et sur terre. »
> — Trish Summerville

À l'intérieur de l'arène, la coiffure et le maquillage passent au second rang. Ve Neill souligne : « C'est presque impossible de garder quoi que ce soit sur le visage d'une personne qui est trempée de sueur, ou encore couverte de coupures et d'ecchymoses. » Elle donne plutôt aux personnages des bronzages foncés pour qu'ils aient l'air d'être restés à l'extérieur pendant des jours. « Nous ne voulions pas qu'ils s'abîment la peau au soleil, vous comprenez, ajoute Ve Neill. Donc nous avons utilisé des produits bronzants. Nous avons fait tout notre possible pour qu'ils n'aient pas à porter de fond de teint. »

Tout comme nombre des lubies des habitants du Capitole, la mode et le maquillage perdent de leur attrait quand les vainqueurs entrent dans l'arène et qu'une seule chose compte maintenant pour eux : rester en vie. Dès que les Jeux de l'Expiation commencent, le public du Capitole se désintéresse de la mode pour suivre les Jeux.

# PLUTARCH HEAVENSBEE

Le Haut Juge Plutarch Heavensbee était un personnage intéressant à habiller. Trish Summerville considère qu'« il y a une certaine dualité en lui : il prétend être une chose, mais plus tard il laisse transparaître autre chose. » Ses costumes reflètent cela. « Nous avons tenté de ne pas lui donner une allure aussi extravagante que celle des autres habitants du Capitole, dit-elle. Nous avons gardé des lignes simples, modernes. Ses couleurs sont toujours plutôt neutres parce que c'est un type plutôt relax, qui aime l'ironie. Il a confiance en lui et en ce qu'il fait, assez pour oser défier le président Snow. »

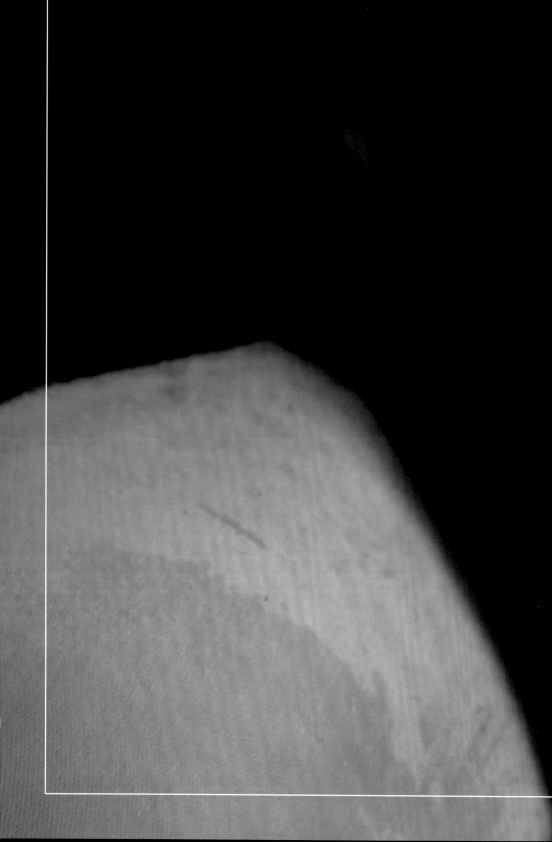

# L'ÉTINCELLE

Une étincelle… c'est tout ce qu'il faut pour allumer un feu. Et une fois qu'un feu est allumé, il peut être impossible à contenir. Tant qu'il y a suffisamment de combustible, il va brûler et dégager de plus en plus de chaleur et de lumière jusqu'à ce qu'on l'étouffe.

Le choix désespéré de Katniss à la fin de *Hunger Games* est l'étincelle qui embrase Panem. La misère qui règne dans le pays crée un foyer parfait pour permettre aux flambées révolutionnaires d'éclater et de s'étendre.

À la fin de *Hunger Games : L'embrasement*, le geste de bravoure de Katniss suffit à mettre le feu aux poudres. Les flammes se rapprochent plus que jamais du président Snow, et, malgré tous les efforts qu'il déploie — même s'il a créé une arène conçue pour démoraliser les districts — il ne réussit pas à les éteindre.

Qu'arrive-t-il ensuite? La destruction. La révolution. La guerre.

Chaque membre de l'équipe de *Hunger Games : L'embrasement* sait que la prochaine partie de l'histoire de Katniss va naître de la tension qui règne et du choc qui va s'ensuivre. La vie de Katniss deviendra plus triste et plus

> « *L'oiseau, la broche,*
> *la chanson, les baies,*
> *la montre, le bretzel, la robe*
> *qui s'embrase. Je suis*
> *le geai moqueur.* »
> *— Hunger Games : L'embrasement*

difficile jusqu'à ce que la fumée commence à se dissiper.

Elizabeth Banks résume ainsi : « Si nous parlons de *Hunger Games* comme d'un film de super héros, le premier film *Hunger Games* présente Katniss. C'est le point de départ. Qui elle est, d'où elle vient, comment elle influence les gens? Puis, avec *Hunger Games : L'embrasement*... tout est dans le titre. Katniss est un charbon ardent qui finira par tout incendier! Maintenant, l'idée de révolution

LES TROIS VAINQUEURS DU DISTRICT DOUZE APPROCHENT DU PODIUM POUR LA MOISSON DE L'EXPIATION.

prend de l'ampleur et, dans *Hunger Games : La révolte*, le Capitole va vraiment ressentir la colère des districts. »

Josh Hutcherson ajoute : « Le soulèvement a débuté, et nous commençons à voir les diverses parties qui s'assemblent pour renverser un gouvernement. C'est formidable, je pense, de voir Katniss surmonter ses difficultés pour devenir l'héroïne dont Panem a besoin. Quand on a le pouvoir d'améliorer le monde, on a l'obligation de le faire, et c'est une chose que Katniss finit par comprendre. »

Jennifer Lawrence voit une certaine ressemblance entre le personnage de Katniss et une autre femme forte qui

KATNISS (JENNIFER LAWRENCE)
VISE SA CIBLE.

a vécu il y a plusieurs siècles. « C'est l'histoire incroyable d'une fille qui ne veut pas être une héroïne, mais qui se retrouve dans une position où elle est forcée de l'être et qui devient une Jeanne d'Arc futuriste », déclare-t-elle.

Le prochain film va montrer les nombreuses facettes de la révolution, du triomphe à la tragédie. Katniss va

devoir composer avec son rôle dans la rébellion et avec l'effet que cette rébellion a sur les gens qu'elle aime le plus.

Son personnage évolue, sa conscience ne cesse de s'élargir. Comme le dit Erik Feig de Lionsgate : « Dans l'arc de la trilogie, le cercle des êtres chers de Katniss ne cesse de s'agrandir de façon réaliste et identifiable. Au début des *Hunger Games*, elle se préoccupe essentiellement d'elle-même et de Prim. Dans *Hunger Games : L'embrasement*, elle commence à voir qu'elle se soucie de Peeta aussi et de Gale et à la fin, elle s'inquiète peut-être aussi pour quelques tributs. Puis, dans *Hunger Games : La révolte*, nous voyons qu'elle est profondément attachée à sa famille et à un plus grand groupe de personnes qui va jusqu'à inclure les citoyens de Panem. Son développement personnel reflète notre propre développement : d'abord en tant qu'individus

> « C'est l'histoire incroyable d'une fille qui ne veut pas être une héroïne, mais qui se retrouve dans une position où elle est forcée de l'être. »
> — Jennifer Lawrence

puis en tant que citoyens. »

Jeffrey Wright, qui joue Beetee dans le film, l'exprime ainsi : « Je pense qu'il y a une remise en question ici, surtout après *Hunger Games : L'embrasement* au sujet du prix que les guerriers paient pour le travail qu'ils font. » Katniss doit se demander si la guerre en vaut la peine; elle coûte cher aux gens qui la font et à ceux qui la subissent.

Ce sont là des questions graves pour une série qui a un énorme public d'adolescents, mais l'auteure Suzanne Collins n'a jamais esquivé le sujet de la guerre dans ses livres, peu importe l'âge de ses lecteurs.

La violence est un élément essentiel du récit d'une histoire de guerre, et le réalisateur Francis Lawrence prend soin de la garder à un niveau acceptable dans le film. Il ne veut surtout pas faire avec son film ce que le Capitole fait avec ses Jeux : valoriser la violence et désensibiliser les

spectateurs à la douleur qu'elle cause.

Même si la violence est importante pour communiquer les idées de Suzanne Collins au sujet de la guerre, l'histoire ne porte pas, en fin de compte, sur la tempête qui fait rage autour de Katniss. Il est question de Katniss elle-même et de la façon dont les événements changent sa vie pour toujours. Francis Lawrence conclut : « La lutte pour la survie de Katniss et son besoin de protéger les gens qu'elle aime nous semblent très naturels. On la voit à l'écran et on peut se mettre à sa place. Je pense que c'est pour ça qu'elle est un personnage si mémorable ».

Tout au long de la trilogie, elle passe du rôle de tribut à celui de rebelle, puis de celui de rebelle à femme de guerre. À la fin de *Hunger Games : L'embrasement*, elle n'est que partiellement engagée dans cette voie. La productrice Nina Jacobson explique : « Katniss ne se voit pas encore comme une meneuse, mais elle commence lentement à

> **« La lutte pour la survie de Katniss et son besoin de protéger les gens qu'elle aime nous semblent très naturels. »**
> **— Francis Lawrence**

s'habituer au rôle qu'elle assumera dans le troisième livre. »

Dans *Hunger Games : L'embrasement*, Katniss fait la moitié du chemin, et la fin troublante du film laissera le public sur sa faim. Il voudra plus de *Hunger Games*. Le film est irrésistible parce qu'il combine des prestations d'acteurs exceptionnels et des personnages exceptionnels, ou, comme le déclare Erik Feig : « Nous avons l'une des plus grandes actrices de notre époque et l'une des meilleures créations littéraires de notre époque rassemblées dans un film conçu par un brillant styliste visuel qui est intimement lié à ce qu'il doit rendre. »

*Hunger Games : L'embrasement* est le deuxième chapitre de cette histoire épique, l'un des films les plus captivants du 21e siècle produits ce jour.